D0511085

Collection folio junior

dirigée par
Jean-Olivier Héron
et Pierre Marchand

Yak Rivais est né à Fougères en 1939. Son premier roman, *Aventures du général Francoquin*, est publié par Raymond Queneau chez Gallimard en 1967 et obtient le prix de l'Humour noir. Il publie ensuite un roman écrit avec des phrases empruntées à d'autres écrivains, *Les Demoiselles d'A*, récompensé par le prix de l'Anticonformisme en 1979.
A partir de 1984, il se consacre à la littérature pour la jeunesse et aux jeux littéraires dont il est spécialiste, et imagine, outre ses contes d'«enfantastiques» parus à L'école des loisirs, des contes mettant en scène des personnages de légendes bretonnes, comme *Le Géant des mers* qui obtient le prix Bretagne en 1991.
Yak Rivais, resté instituteur à Paris, aime stimuler son inspiration par le dialogue avec les enfants qui, comme lui, ne manquent pas d'imagination!

Cinq dessinateurs ont uni leurs efforts et leurs talents pour illustrer les neuf contes de ce livre: **Gilbert Maurel** (*La Bombarde d'or*, *La Fille du roi des morgans*), **Philippe Poirier** (*T'occupe*, *La Ligne blanche*), **Michel Politzer** (*Le Géant des mers*, *Le Sorcier des grèves*), **Michel Riu** (*Les Poils du jenniken*, *Le Bâton du pilaouer*), **Yak Rivais** lui-même (*Le Teuz dans la cheminée*). Certains d'entre eux ont déjà travaillé pour Folio Junior. On peut retrouver, par exemple, les dessins de Gilbert Maurel dans *Mer Misère* de Jean-Michel Barrault et *Un mousse au cap Horn* de Jean Randier, et ceux de Michel Politzer dans *Un coup de tonnerre* de Ray Bradbury. Quant à Philippe Poirier, il a illustré *Le Rêve d'Anthéa* de Margaret Mahy dans la collection Lecture Junior.

© Jean Picollec, 1991, pour le texte
© Éditions Gallimard, 1993, pour les illustrations

Yak Rivais

Le géant des mers et autres contes

Illustrations de Yak Rivais,
Michel Politzer,
Michel Riu, Philippe Poirier
et Gilbert Maurel

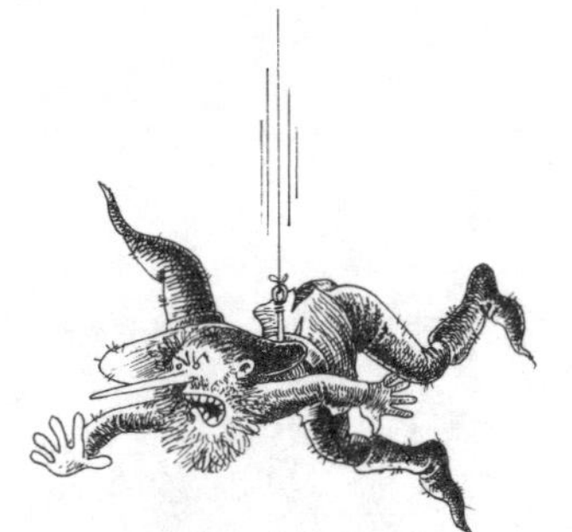

Jean Picollec

Aux amis...

Caresse ou combat, la nuit et le jour
La terre et la mer se parlent d'amour...

(Chanson de la marine ancienne)

Le Teuz dans la cheminée

Au bout de la criée demeurait un jeune homme prénommé Guillo. Il venait d'acheter son petit appartement parce qu'il comptait se marier à la fin du mois. Comme il n'était pas riche, il faisait lui-même les travaux de remise en état, lavait, plâtrait, papiétait. Et voilà qu'en travaillant, il venait de découvrir une ancienne cheminée murée par le propriétaire précédent. Pourquoi murée ? Guillo décida de rouvrir la cheminée.

– Chic ! se réjouissait-il. Nous ferons de bonnes flambées les soirées d'hiver !

Il démolit l'écran de briques, emporta les briques, restaura la cheminée. Au soir, tandis qu'il dînait seul à la table de la salle à manger, il entendit comme un grattement. « Des oiseaux, se murmura-t-il. Ils ont fait leur nid dans la cheminée. »

Il alla regarder, mais à peine avait-il penché la tête dans le conduit qu'un nuage de poussière noire l'enveloppa. Il se retira aussitôt, les cheveux sales de suie. Il passa dans la salle de bains, se lava, s'essuya, revint dans la salle à manger. Et alors que vit-il ?

Un drôle d'homme minuscule et barbu avec des cheveux verts était occupé à grignoter voracement les restes de pain sur la table. Il n'était pas plus grand que la main, et pour dévorer d'aussi bon appétit, il devait être affamé !

– Holà ! s'écria Guillo amusé. Qu'est-ce que tu fais là, toi ?

L'espèce de barbu minuscule se retourna en sursaut, se rendit compte qu'il était repéré par un humain, et grogna un juron de contrariété. Guillo fit un pas vers lui.

– N'aie pas peur, dit-il. Qui es-tu ?

Nouveau juron de la part de l'homme vert, et frrtt, il s'élança en trottant sur la table, sauta de là sur le siège de la chaise, puis par terre et courut à la cheminée. Guillo n'eut pas le réflexe de l'arrêter. Déjà, l'affreux barbu avait grimpé sur la pierre du foyer, et de là, s'accrochant des pieds et des mains aux pierres, il escaladait le mur inégal de la cheminée aussi lestement qu'un écureuil. Il disparut dans le conduit.

– Attends ! cria Guillo un peu tard.

Il restait planté au milieu de la pièce. Il se demandait s'il n'avait pas rêvé. Une chose dont il était sûr, cependant, c'était qu'il n'avait pas surpris un animal. Non, il avait vu un petit homme vert aux vêtements usés, voler ses restes de pain et filer dans la cheminée. Certainement un Teuz. Guillo fronça les sourcils. Un Teuz vivait dans la cheminée : voilà pourquoi le propriétaire précédent l'avait murée ! Et c'était lui, Guillo, qui venait de délivrer le méchant petit individu en abattant les briques. Et si le Teuz était enfermé là-dedans depuis des mois, sûr qu'il devait avoir faim !

Guillo s'approcha de la cheminée, et dit aimablement pour essayer d'amadouer la petite créature :

– Holà ! le Teuz ! Il ne faut pas avoir peur de moi. Soyons bons amis. Je m'appelle Guillo et je vais me marier à la fin du mois.

Pour réponse, un paquet de suie et de saletés dégringola dans le conduit. Mais Guillo, prudemment, s'était écarté. Il reprit :

– Il reste du pain. Je le laisse pour toi. Tu le prendras quand tu voudras, il est sur la table.

Il se retira. Il passa dans la pièce voisine, la future chambre où il avait déjà installé le lit et déposé des tas de bricoles qui lui appartenaient, en attendant d'avoir terminé les travaux. Il fit beaucoup de bruit, il chanta pour donner à entendre au Teuz qu'il lui laissait le champ libre. Il savait que le Teuz ne redescendrait pas de sa cheminée, tant qu'il risquerait d'être regardé par un être humain. Aussi fit-il semblant de se mettre au lit et il attendit.

Au bout d'un long moment de silence, il perçut un grattement furtif. C'était le Teuz. Affamé, il ne résistait plus à l'appel du pain. Guillo risqua un œil curieux dans l'entrebâillement de la porte. Le Teuz était remonté sur la table. Il croquait le pain, il ne prenait pas le temps de le mâcher pour l'avaler. Il ronronnait de satisfaction, mais bientôt, il gronda de colère parce qu'il n'y avait plus rien à manger. Il tapa du pied. Puis il se laissa choir de la table sur la chaise, de la chaise par terre, et regrimpa dans sa cheminée. Guillo sourit. Il poussa la porte.

– Holà ! le Teuz ! appela-t-il doucement.

Pas de réponse.

– Je te donnerai de la bonne galette demain, de la bonne galette de sarrasin !

Pas de réponse.

– Je te la laisserai sur la table.

Pas de réponse.

– Tu la préfères au beurre salé, avec de la confiture de prune, ou avec un œuf ?

Pas de réponse. Pourtant, un petit bruit résonna dans la cheminée. Mais pas de réponse. Certainement, le Teuz avait eu envie de parler mais s'était retenu.

– Je te remplirai aussi une bonne bolée de cidre ! promit Guillo.

Pas de réponse. Toujours pas de réponse.

– Tu n'aimes peut-être pas le cidre ? fit alors Guillo. Si c'est cela, je ne t'en servirai pas, je le boirai tout seul et je te servirai de l'eau plate.

Alors il y eut une réponse exaspérée :

– J'aime mieux le cidre, espèce de moussaillon !

La voix était déformée, amplifiée par le vide de pierre du conduit de la cheminée.

– Alors va pour le cidre ! dit Guillo. Et les galettes ? Tu les préfères au beurre salé, avec de la confiture de prune, ou avec un œuf ? Tu ne m'as pas répondu tout à l'heure. Peut-être préfères-tu le pain sec ?

Grognement agacé. puis :

– J'aime toutes les galettes moussaillon !

– Dis donc ! releva Guillo. Tu n'es guère courtois ! Moi, je te promets des galettes et toi, qui n'as même pas la politesse de te montrer, tu me remercies par des insultes ?

– T'occupe ! grogna le Teuz dans sa cheminée.

– Je me demande, s'interrogea Guillo à voix haute, si je ne ferais pas mieux de remurer la cheminée, comme elle était avant mon arrivée ici.

Alors il y eut une réaction : un petit tas de plâtras et de suie tomba par le conduit sur la pierre du foyer. Le Teuz cria :

– Touche à la cheminée, moussaillon, et tu verras ce qui t'arrivera !

– Et alors ? fit Guillo. Mon prédécesseur l'a fait, et il ne lui est rien arrivé, que je sache !

– Tu es mal renseigné ! ricana le Teuz. Pourquoi crois-tu qu'il t'ait vendu l'appartement ?

Guillo demeura silencieux. C'était la vérité que l'appartement n'avait pas été vendu cher, et que l'ancien propriétaire semblait pressé de le vendre. Guillo devina que le Teuz avait dû faire endurer mille misères aux anciens habitants, qu'il les avait forcés à déguerpir. Vaguement inquiet, le jeune homme préféra cependant ne rien laisser paraître de ses appréhensions.

– Ne nous fâchons pas, dit-il. Si tu veux, le Teuz, nous serons amis, toi et moi.

Ricanement méchant du Teuz en réponse.

– Comme tu voudras, dit Guillo d'un air débonnaire. En tout cas, moi, je te ferai cadeau de bonnes galettes. Tu t'en lécheras les lèvres, si tu veux mon avis, c'est ma fiancée qui les prépare.

Pas de réponse. Le Teuz avait dévoré les restes de pain à toute vitesse, il avait faim. Guillo ajouta, mine de rien :

– Les restes que tu as mangés t'ont peut-être suffi ?

Grognement.

– Surtout, fit Guillo, il ne faut pas te forcer. Je peux te redonner à manger des tranches de pain sec si tu les apprécies plus que les galettes...

Cri de colère. Puis le Teuz ronchonna :

– J'aime mieux les galettes moussaillon !

Et il tapa du pied contre les pierres de la cheminée en faisant choir encore un paquet de suie noire. Il était vexé d'être obligé d'admettre qu'il aimait les galettes. Guillo se garda d'insister.

– Je te souhaite une bonne nuit, le Teuz ! dit-il.

Pas de réponse. Un grognement (un juron ?). Le Teuz devait souhaiter au garçon la nuit la plus désagréable. Mais Guillo passa dans sa chambre et se coucha. Il réfléchissait avant de s'endormir. Il était soucieux. Les Teuz sont de vilains génies sournois et malfaisants. Avec ça, avares, capricieux. Il faut toujours leur faire des cadeaux sous peine de subir leurs tracasseries. Guillo ne se réjouissait pas à l'idée de nourrir un Teuz vorace et vindicatif toute sa vie. Non ! Sa fiancée – bientôt son épouse – ne passerait pas son temps à cuisiner des galettes pour cet individu !

Guillo se retournait dans son lit, préoccupé. Il fut long à trouver le sommeil. Il se réveilla de fort bonne heure, au bruit des premiers camions qui quittaient la criée chargés de poissons. Il ouvrit la fenêtre, regarda le jour se lever sur le port. La mer était basse et les chalutiers reposaient au fond du bassin sur les tangues de sable gris. Le soleil rasant projetait leurs ombres latéralement. Une belle journée s'annonçait. Guillo soupira, voulut se recoucher, mais il y renonça. Il n'avait pas envie de dormir. Alors il fit sa toilette, lut un peu et partit pour son travail en avance.

Il rentra tard le soir. Il était allé rendre visite à sa fiancée. Il rapportait une provision de galettes fraîches et du cidre bouché. Il dressa la table et il commença à manger. Une bonne odeur de sarrasin emplissait la salle. Guillo tendit l'oreille : un grognement résonna dans la cheminée. Assurément, le Teuz avait flairé le parfum des galettes. Il était affamé, il avait hâte de prendre part au festin. Guillo poussa sur la table deux galettes dans une assiette plate, et un bol plein de cidre. Il s'écria à haute voix :

– Ces galettes sont délicieuses ! Hum ! ma Janie est une fine cuisinière !

Grognement. Guillo éleva la voix :

– Holà ! le Teuz, ta part est sur la table ! Tu n'as donc pas faim ?

– Tout à l'heure moussaillon ! répliqua le Teuz invisible.

– Pourquoi attendre ? riposta Guillo. Tiens, je repousse ta part à l'autre bout de la table. Tu peux venir en profiter, je ne te mangerai pas, je préfère les galettes !

Grognement de colère et juron. Le Teuz donna un coup de pied violent dans la cheminée, de la suie tomba.

– Vrai ! s'écria Guillo. A donner des coups de pied comme ça tout le temps, tu as raté ta vocation, tu aurais dû devenir footballeur !

Cri de colère du Teuz.

– Je t'ai versé aussi une bonne bolée de cidre, annonça Guillo.

Il but la sienne en faisant claquer sa langue.

– Ttt ! fameux, ce cidre ! C'est du cidre bouché ! Il pétille !

Le Teuz ne résista plus. Il dégringola la cheminée. Guillo ne bougea pas, pour ne pas l'effaroucher, mais il l'observait du coin de l'œil. Le Teuz à barbe et cheveux verts avait passé la tête sous le rebord de la cheminée ; il se tenait la tête en bas comme une chauve-souris. Il examinait la salle à manger. Ses yeux jaunes brillèrent comme deux perles lorsqu'il découvrit les galettes et le cidre. Guillo continua de manger calmement, porta un morceau de galette à sa bouche en s'extasiant :

– Hum ! celle-là est à la confiture de prune, je me demande si tu aimes les confitures de prune, le Teuz, parce que si tu les aimes, ma Janie en fera pour toi. Mais évidemment, si tu les détestes, elle ne t'en fera pas.

– Je les aime moussaillon ! J'en raffole ! hurla le Teuz en se laissant tomber sur la pierre du foyer de la cheminée.

Guillo se retourna, fit semblant de découvrir le petit personnage aux habits usés :

– Bien le bonsoir ! dit-il. Ta part de galettes t'attend sur la table. J'y ajoute une galette à la confiture de prunes, puisque tu aimes la confiture.

Il la poussa sur les deux autres galettes. Le Teuz n'y tint plus. Il bondit avec souplesse sur la chaise, puis sur la table. Il ne mesurait même pas vingt centimètres et pourtant sautait plus de deux fois sa taille en hauteur et sans élan. Quelle agilité ! Quelle laideur aussi ! La barbe et les cheveux verts, des petits yeux jaunes toujours en mouvement, un nez crochu, le front ridé, l'air méchant, le Teuz n'inspirait pas la sympathie ! Il agrippa la première galette entre ses menottes aux doigts griffus en ronronnant de plaisir. Mais il restait méfiant et reluquait Guillo par-dessous.

– Bon appétit ! lui lança le jeune homme.

Il lui fit un salut rassurant, sans se déplacer. Alors le Teuz se mit à manger, debout d'abord, puis bientôt assis en tailleur sur la table à côté de

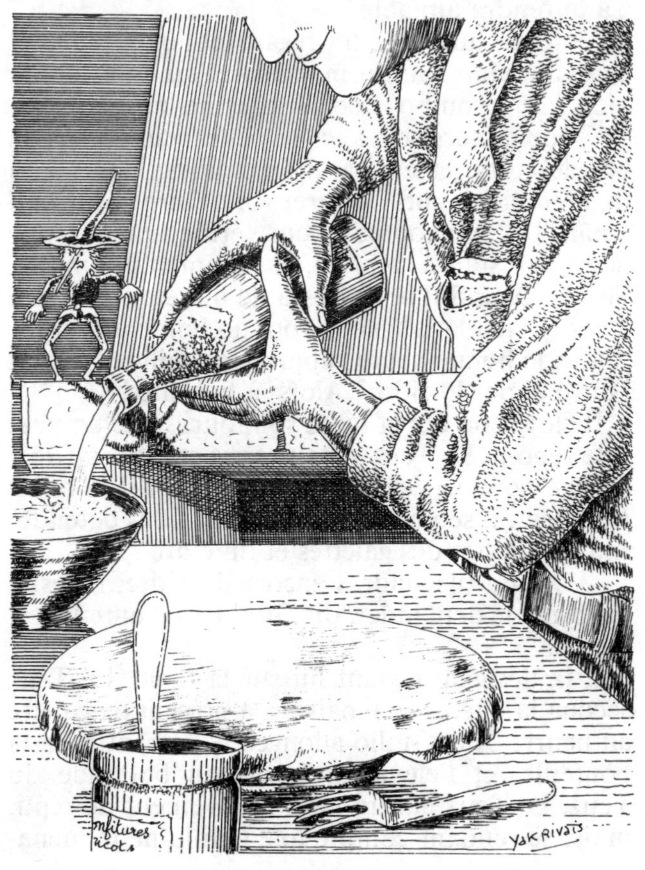

l'assiette et du bol. Il croquait, grignotait, attaquait la galette de droite à gauche comme un joueur d'harmonica et il avalait, avalait. Il ne tarda pas à enfourner la première galette à la confiture et se lécha les doigts. Il rota.

– Alors, lui demanda Guillo, était-ce bon ?

Grognement.

– Bois donc un coup de cidre ! suggéra Guillo. Ça te rendra aimable !

Le Teuz lui coula un regard oblique, jaune et agressif. Mais Guillo mangeait, l'air indifférent, bien calé à son bout de table, et ne bougeait pas. Le Teuz rassuré se releva, se pencha au-dessus du bol de cidre, et aspira la boisson pétillante à la manière des bœufs à l'abreuvoir. Slurp ! Slurp ! Il lapait. Il s'interrompait pour vérifier que le jeune homme restait à sa place, et se remettait à boire. Slurp ! Quand il se redressa, le bol était vide. Le Teuz claqua la langue et rota un bon coup.

– A la bonne heure ! approuva Guillo. Tu m'as l'air d'aimer le cidre ! Alors, à ta santé !

Il éleva son bol et but à son tour. Juste un peu. Il le reposa. Le Teuz s'était rassis et avait attiré à lui la seconde galette comme un drap. Il se remit à manger. Il semblait plus confiant. Plus détendu. Était-ce l'effet des galettes et du cidre ?

– Quand tu voudras encore du cidre, n'hésite pas à me le demander, dit Guillo. La bouteille est pleine.

Il la désigna, devant lui sur la table. Le Teuz secoua la tête. Il se repaissait à présent de galette au beurre salé. Guillo allongea le bras, attrapa la bouteille, et l'éleva au-dessus du bol vide du Teuz. Le Teuz eut un petit mouvement de repli, mais, se rendant compte que Guillo ne le menaçait pas et se contentait seulement de lui verser à boire, il se maîtrisa. Il regarda le liquide roux couler en glougloutant et en pétillant de la bouteille dans son bol. Il se remit à se gaver de galette, s'accordant un répit seulement de temps à autre pour aspirer du cidre à grand bruit.

– Je me demande, fit Guillo, comment tu as pu rester si longtemps enfermé dans cette cheminée ! Ça a dû être dur de ne pas déguster de galettes pendant tout ce temps-là.

Le Teuz releva la tête. Il paraissait calmé. Il grommela, en haussant les épaules :

– Je n'y suis pas resté des années ! C'est muré depuis même pas deux mois !

– N'empêche ! dit Guillo. Deux mois sans galettes, moi je ne pourrais pas le supporter !

Le Teuz rota. Il se releva pour boire un coup de cidre. Guillo reprit la bouteille et se hâta de remplir son bol. Glouglou, pschitt, chantait le cidre. Guillo reposa la bouteille.

– Et deux mois sans cidre, ajouta-t-il, quelle épouvantable épreuve !

– Ça c'est vrai ! approuva le Teuz en claquant sa langue contre son palais.

Guillo le vit boire encore et encore. En se relevant, le Teuz partit un peu en arrière, comme s'il perdait l'équilibre. Il se raccrocha au rebord du bol des deux mains. Il avait un peu trop bu, mais Guillo fit semblant de ne pas s'en apercevoir.

– Et alors, le Teuz ? demanda-t-il. Qu'est-ce que tu fabriques, toute la journée, dans cette cheminée ?

Il avait dit cela d'un air dégagé avant de répandre de la confiture de prune sur une galette.

Le Teuz releva la tête avec méfiance.

– Pourquoi me demandes-tu ça ? interrogea-t-il.

– Ça quoi ? fit Guillo sans paraître attacher d'importance à la question qu'il avait posée, comme s'il l'avait déjà oubliée.

Le Teuz le reluquait d'un air soupçonneux.

– A ta santé ! fit Guillo en avalant un coup de cidre.

Le Teuz hésita, se pencha au-dessus de son bol et aspira longuement le cidre. Il se redressa et rota très fort : Rrreûû. Il s'essuya la bouche d'un revers de manche. Il ricana soudain :

– De toute façon, je m'en fous ! Tu ne trouveras jamais mon trésor !

Et il se remit à s'empiffrer de galette. Il ricanait encore, il avait trop bu. Guillo l'observait à la dérobée, continuait de manger. Le Teuz croqua sa galette avec gourmandise ; c'était une galette à l'œuf et des coulées jaunes se dessinaient de chaque côté de ses lèvres. Le Teuz les lécha. Il retourna boire : Slurp, Slurp ! Guillo allongea le bras avec la bouteille pour le resservir. Le Teuz ne recula pas. Il rebut. Il rota. Guillo l'observait : le Teuz tanguait en se relevant comme un marin debout sur un ponton bousculé par les vagues. Il était ivre. Il ricanait tout seul. Il disait des mots sans suite que Guillo ne comprenait pas.

– Comme ça, fit alors le jeune homme en continuant de manger, tu as caché un trésor ?

Le Teuz l'affronta prestement, dégrisé. Ses petits yeux jaunes luisaient. Mais Guillo mangeait comme s'il se désintéressait de la réponse. Le Teuz ricana :

– Moussaillon ! Tu... tu ne le trouveras jamais ! Ah ah ah !

– Je ne le cherche pas ! l'assura Guillo. Et pour commencer, qu'est-ce que j'en ferais ? A voir avec quelle élégance tu t'habilles, il ne doit pas y avoir grand-chose de précieux dans ton prétendu trésor !

Le Teuz recula, piqué au vif.

– Qu'est-ce que tu en sais, moussaillon !

Il renifla avec mépris, et préféra boire un coup de cidre.

– Je m'en moque, fit Guillo faussement indifférent. Je disais ça seulement pour entretenir la conversation.

– Tu... tu ne sais pas ce que tu dis, m... moussaillon ! lança le Teuz en postillonnant.

Sa langue devenait pâteuse et il cherchait ses mots.

– Tout de même, observa Guillo, je vois bien que tu es vêtu comme un clochard. Tiens, par pure amitié, je demanderai à ma fiancée de te coudre un bel habit neuf !

– J'en v-veux p-pas ! brailla le Teuz. J'j'aime mieux le m-mien !

Il secoua la tête. Ses paupières s'abaissaient, il avait envie de dormir.

– Bois un coup, lui conseilla Guillo, ça te réveillera !

Le Teuz se pencha au-dessus du bol pour aspirer le cidre à pleine bouche. Slurp ! Slurp !

– Et alors ? fit Guillo. Qu'est-ce qu'il y a de beau dans ton trésor ? Des boutons de culotte ?

Il faisait semblant d'être méprisant. Le Teuz se rengorgea :

– M... moussaillon ! Il y a m... mille pièces d'or ! M... mille pièces d'argent ! Et m... mille p... pierres p... précieuses !

– En plastique ?

– En p... pierres p... précieuses moussaillon ! Des émeraudes ! Des r... rubis ! Des d... diamants !

– Et tu caches tout ça dans tes poches percées ? se moqua Guillo.

– Non m... moussaillon ! Je le c... cache dans la che... che...

Il allait dire « dans la cheminée », mais il se retint subitement.

Ses yeux jaunes brillaient. Le Teuz leva l'index droit en l'air :

– P... pas si b... bête ! S... si tu crois q'que je vais te le d... dire, moussaillon, tu te f... fourres le d... doigt dans l'œil ! Ah ah ah !

– Ça m'est égal, dit Guillo.

Il leva son bol.

– A la tienne, Étienne ! dit-il.

Il but. Le Teuz se pencha au-dessus de son bol et y aspira ce qui restait de cidre. Il manqua basculer par-dessus bord, et dut se cramponner au rebord du bol pour ne pas tomber. Il riait de sa propre maladresse. Il se releva en titubant, et voulut reprendre sa route vers la cheminée. Il fit quelques pas chancelants, et s'immobilisa. Il voyait double. Ses paupières alourdies ne demandaient qu'à se fermer. Guillo jeta un coussin sur la table.

– Tu n'as qu'à dormir là ! dit-il. Moi je vais dans ma chambre, je te souhaite une bonne nuit !

Il se leva. Le Teuz le vit se diriger vers sa chambre en ôtant son pull-over. Alors, rassuré, il se laissa tomber sur le coussin moelleux, et s'y endormit aussitôt. Il ronflait. Guillo ressortit de la chambre, il avait ôté ses souliers et marchait en chaussettes sur la pointe des pieds. Il regarda le Teuz dormir en souriant. Il l'avait trompé. Il se dirigea vers la cheminée. Il s'était muni d'une lampe de poche. Penché sous le conduit, il l'éclaira de bas en haut. Le conduit était encrassé, mais, à mi-hauteur, une cavité obscure se profila sur la gauche : une pierre manquait là. C'était sûrement la cachette du Teuz. Malheureusement, Guillo était trop large et trop grand pour se faufiler dans cette cheminée.

– Si seulement j'étais le Père Noël ! grommela-t-il pour rire.

Il se contorsionna, introduisit le bras droit dans le conduit, mais le bras n'était pas assez long pour atteindre la cachette du Teuz. Après deux essais impuissants, Guillo revint dans sa chambre. Au passage, il put vérifier que le Teuz reposait profondément endormi sur le coussin. Guillo réfléchissait. Comment s'emparer du trésor ? Quelle forme pouvait-il présenter ? Quel volume ? Comme une grosse pierre ou comme un ballon de football ? Peut-être plus gros ? Comment le voler ? Guillo se grattait la tête. Il avait un peu bu lui aussi – nettement moins que le Teuz, et sa résistance d'humain était bien plus grande. Il ferma les yeux, le cidre pétillant excitait son imagination. Il rouvrit les yeux ! Une idée ! Dans un coin de la chambre s'entassait tout un matériel accumulé là en attendant la fin des travaux d'emménagement. Une raquette de tennis, une paire de skis, un balai, une guitare, et... une canne à pêche ! Une belle canne à lancer en fibre de verre, flexible et robuste, avec un moulinet perfectionné.

Vite, Guillo s'en empare ! Il court à la cheminée, en chaussettes. La lampe de poche, il se l'attache sur le front avec l'élastique du pot de confiture. Il se baisse, il éclaire le conduit. Il voit la cavité obscure. Il enfonce la canne à pêche dans la cheminée. Elle s'élève au-dessus de la cavité. Alors il tourne la manivelle du moulinet, fait monter l'hameçon tout en haut du scion. Il le laisse doucement redescendre, il le balance de droite à gauche. Quand il atteint le niveau de la pierre manquante, hop, il l'expédie dans la cavité. Le coup est adroit ! L'hameçon a disparu dans la cachette ! Reste à le ramener en tirant sur le fil et en espérant qu'il accroche quelque chose ! Guillo tourne la manivelle. D'abord, il n'y a pas de résistance, et puis, tout à coup, un accroc...

– Oui ! murmura Guillo rempli d'enthousiasme.

Il tourne la manivelle ! Le fil est tendu, quelque chose résiste ! Guillo abaisse la canne à pêche et tire sur le fil, tire plus fort ! La chose résiste et bouge enfin un peu. L'hameçon a pris un objet qui vient en raclant la pierre. Un objet pesant. Guillo tire le fil, encore, encore. A la lueur de la lampe de poche, il voit poindre une forme sombre et arrondie au bord de la cavité. Oui ! Oui ! Guillo tourne la manivelle, attire la chose pesante au bord du conduit ! Elle dépasse, c'est un sac rebondi ! Guillo tourne la manivelle et le paquet dépasse le rebord de la cachette du Teuz. Il tombe ! Ouch ! La canne à pêche se tord : le paquet restait accroché à l'hameçon et se balançait sans bruit au-dessus de la tête du jeune homme, qui s'empressa de s'en saisir. Il jubilait. Il aurait volontiers poussé des cris de joie et chanté, s'il ne s'était rappelé l'existence du Teuz endormi. Un coup d'œil derrière lui le rassura : le Teuz ronflait et soufflait.

Riant sous cape, Guillo récupéra le paquet, qui était de vieux velours, et, sa canne à lancer sous le bras, courut se réfugier dans sa chambre. Il jeta le tout sur le lit ; en tombant, le paquet fit entendre un son métallique. Avec fébrilité, Guillo détacha la broche qui le bouclait : il ne put retenir une exclamation de surprise à la vue des pièces d'or et d'argent et des pierres précieuses qui scintillaient dedans. Un instant, il contempla le trésor, y fourra ses doigts, fit ruisseler les pièces et les diamants entre eux comme une eau miraculeuse. Il était riche. Très riche. Fasciné, il examinait les pierres précieuses à la lumière du plafonnier ; elles jetaient mille lueurs en tous sens aux couleurs de l'arc-en-ciel. Guillo serait bien resté des heures à les admirer. Mais il fallait penser au Teuz. Tant qu'il demeurerait dans la cheminée, nul ne profiterait de son trésor.

Une fois de plus, Guillo courut – en chaussettes – à la porte de la chambre vérifier que le Teuz sommeillait sur le coussin. Que faire ? Les yeux de Guillo retrouvèrent la canne à pêche. Mais oui ! La canne à pêche avait permis la récupération du trésor inaccessible, elle permettrait aussi de se débarrasser du Teuz encombrant ! Guillo vint à la fenêtre de la chambre. Des automobiles stationnaient dessous sur le quai. D'autres passaient, et un peu plus loin, des bateaux s'apprêtaient à partir avant la marée basse. Un thonier africain appareillait, son moteur tournait. C'était une occasion rêvée, parce que l'Afrique n'est pas la porte à côté ! Guillo n'hésita plus. Il attrapa sa canne à pêche, retendit le fil de la ligne au moulinet, et se précipita dans la salle à manger. Le Teuz digérait son repas sur le coussin en ronflant. Il fallait agir vite, car, dehors, le chalutier achevait sa manœuvre et s'écartait du bord. Guillo saisit l'hameçon entre le pouce et l'index et le glissa dans la ceinture du petit personnage endormi. Et Zou ! Il souleva la canne à pêche en courant vers la fenêtre ouverte. Le Teuz fut enlevé en l'air au bout de la ligne comme une vulgaire sardine !

– Hé ? Hé ? s'écria le Teuz abasourdi. Q... qu'est-ce q'qu...

Il était encore engourdi par le cidre qu'il avait bu, et se balançait au bout du fil sans comprendre. Il frottait ses yeux, s'éveillait difficilement.

– Qu'... qu'est-ce qu... que c'est ? Holà !

Zou ! Guillo avait balancé sa canne à pêche de toutes ses forces et lâché le moulinet. Le Teuz fut expédié par la fenêtre ouverte à toute vitesse en direction du thonier qui s'éloignait de la rive. Il tomba sur le pont. Toc ! Le bateau gagnait le chenal plus profond au milieu du bassin vers la sortie du port. Le Teuz, assommé par sa chute, essaya de se relever en dodelinant de la tête. Il ne comprenait pas ce qui lui arrivait. Guillo avait coupé le fil avec ses ciseaux. Le bateau poussa les machines, le bruit augmenta, les tôles vibrèrent. Le Teuz était en train de se relever ; il dut se cramponner à un enrouleur de chalut pour conserver son équilibre. Il cria des imprécations en direction de la fenêtre où Guillo lui faisait au revoir de la main.

– Adieu ! dit Guillo. Merci pour le trésor !

Le bateau s'en alla. Il naviguerait des jours et

des jours avant de parvenir à destination. Le Teuz aurait sûrement le mal de mer. Et jamais, plus jamais il ne retrouverait le chemin de l'appartement et de sa cheminée. A la lueur des lumières qui bordaient le chenal, Guillo vit la petite silhouette gesticuler sur le pont désert du thonier. Le Teuz devait hurler de peur et de rage, mais le grondement des moteurs empêchait les marins de l'entendre. Le Teuz déménageait pour toujours et Guillo était devenu riche. Il se mit à danser tout seul dans la chambre. Une mouette rieuse s'était posée sur l'appui de la fenêtre, et le regardait d'un air effronté. Guillo lui adressa une grimace, et sans doute était-il très laid, car la mouette rieuse décampa d'un coup d'aile. Guillo riait. Il chantait : « Ils ont des chapeaux ronds, vive la Bretagne. » Il calculait qu'un trésor contre trois galettes et une bouteille de cidre bouché, n'était pas cher payé. Mais surtout, il pensait maintenant à Janie et aux noces prochaines. Il se disait que si le Teuz eut été moins gourmand, et moins attiré par l'alcool, il eût conservé ses richesses. Et il se promit de ne jamais boire au point de perdre son bon sens. Si vous m'en croyez, vous ferez comme lui, vous n'aurez jamais mal aux cheveux.

Le géant des mers

Depuis qu'il avait pris la mer sur la *Bigouden,* Louis n'avait jamais vu une chose pareille. Quitté le port, par temps calme, voilà qu'une espèce d'îlot minuscule se dressait devant le chalutier, juste sorti de l'eau et tout ruisselant. Imaginez une île comme la pelouse arrondie d'une place publique, et couverte d'herbes des rives au sommet. Des herbes brunes et trempées, couchées dans le même sens. Louis avait arrêté le chalutier, mis la barque à la mer. Avec François, le premier pêcheur, il avait ramé vers l'île et y posait le pied. De la *Bigouden,* les trois autres hommes d'équipage, Jeannot, Yves et Hervé, le regardaient s'y aventurer tandis que François demeurait debout dans la petite barque.

– Est-ce que ça va, Louis ? cria Jeannot accoudé au bastingage.

Louis marcha dans les hautes herbes qui lui venaient à la taille. Il escalada la butte jusqu'au sommet.

– Ça va ? demanda François, de la chaloupe.

– Je n'ai jamais vu une île comme celle-là ! répondit Louis. Le sol est un peu mou et tout rose !

Il s'était baissé, attrapa un énorme crabe qu'il souleva et jeta au loin à la mer.

– Saleté de crabe ! s'écria-t-il.

Il se pencha sur l'île et l'examina curieusement.

– Tu as vu quelque chose, Louis ? crièrent les matelots du bateau.

Louis fit un pas de côté, captura un second crabe qu'il jeta au loin avec dégoût.

– Saletés de crabes ! Ils sont accrochés au sol de l'île par les pinces !

– Vraiment ? fit François d'un air incrédule.

– Oui ! répliqua Louis. On dirait qu'ils l'écorchent !

Il arpenta le sol mou de l'îlot en arrachant les crabes qu'il y surprenait, et les jeta à l'eau. Il en avait envoyé rageusement au loin une vingtaine, lorsqu'il sentit le sol bouger sous ses pieds. Il trébucha.

– Holà ! Qu'est-ce qui se passe ?

– Attention ! cria François debout dans la chaloupe.

– Attention ! crièrent les hommes d'équipage accoudés au bastingage de la *Bigouden.*

Louis n'eut pas le temps de réagir. Une main énorme venait de sortir des flots devant l'île, une main plus longue qu'un camion ! Ruisselante d'eau de mer, elle était soulevée par un bras monstrueux! En même temps, l'île s'éleva au-dessus de la surface liquide, et les vagues déplacées par ce mouvement repoussèrent la chaloupe à trente brasses. François tomba dedans. A l'écart, le chalutier dansa sous les ondes qui s'arrondissaient autour de l'îlot.

Louis cria :

– A moi les gars !

La main géante se dirigeait vers lui et l'attrapa juste au moment où l'île ayant poursuivi son émersion, se révélait être une tête extraordinaire.

– Ah ! cria Louis.

La main ne le serrait pas. La tête géante jaillit hors de l'eau, et l'on vit apparaître les épaules et le buste d'un homme fantastique. Louis se trouva enlevé à plus de vingt mètres en l'air. La main l'amena face au visage invraisemblable aussi haut qu'un petit immeuble du front au menton.

– Saute ! saute ! criaient les équipiers de Louis.

Il n'en était pas question. Le géant le tenait. L'eau dansait autour de son énorme corps tandis qu'il en sortait ; le chalutier fut secoué comme un flotteur de pêche.

– Reculez les gars ! Prenez le large ! cria Louis. Sauvez la *Bigouden !*

Yves avait remis le moteur en marche mais le chalutier ne s'éloignait pas. Les pêcheurs attendaient. François, relevé dans la petite barque godillait de toutes ses forces vers eux. Ils l'aidèrent à embarquer et à remonter la chaloupe. Le géant était hors de l'eau jusqu'à la poitrine, et Louis se trouvait maintenant à plus de cinquante mètres de hauteur. François fit le signe de croix par superstition.

– Sacrebleu ! dit-il. Ce géant doit mesurer plus de cent mètres !

Les pêcheurs, groupés à l'arrière du chalutier, regardaient en l'air leur camarade battre des jambes dans le vide.

– De toute façon, murmura Jeannot, s'il sautait de cette hauteur il se tuerait en touchant la mer !

Mais le géant dévisageait Louis de ses yeux énormes sans méchanceté. Il fit même une sorte de sourire qui découvrit ses dents aussi grandes que des couvercles de gazinières. Louis gémit. Le géant soupira, le vent de son haleine passa sur le jeune pêcheur comme une tempête, et fit s'envoler son bonnet.

– Merci pour les crabes! dit le géant. Ça faisait longtemps que ces saletés de poux géants me parasitaient, je n'arrivais pas à m'en débarrasser !

Sa voix était aussi formidable que le tonnerre, mais les paroles n'étaient pas malveillantes. Les hommes d'équipage se regardèrent avec étonnement. Louis avait entendu lui aussi. Il demanda :

– S'il te plaît, repose-moi !

– Hein ? fit le géant en attirant Louis près de son oreille droite.

Louis se trouvait devant l'impressionnant pavillon où s'ouvrait le conduit auditif. Il comprit que le géant ne l'avait pas entendu. Il cria :

– Repose-moi dans mon chalutier ! J'ai le vertige !

Le géant hocha la tête, des paquets d'eau fusaient de ses cheveux et s'abattaient sur les matelots de la *Bigouden* comme des trombes.

– Excusez-moi, dit le géant en reculant d'un pas dans la mer.

Son mouvement de recul attira une houle énorme qui fit tanguer le bateau de pêche bord sur bord.

– Hé ! crièrent les hommes cramponnés au plat-bord.

Le géant ne bougea plus. L'eau s'apaisa autour de lui, des ondes roulaient en cercles immenses vers le large. Délicatement, le géant se pencha, allongea son bras gigantesque pour déposer Louis dans la *Bigouden*. Il l'y laissa prendre pied, puis se redressa.

– Ouf ! dit Louis en se relevant lui aussi.

Il rejoignit l'équipage. Le géant était de nouveau immobile dans l'eau près du bateau de pêche.

– Est-ce que ça va Louis ? demanda François.

Louis acquiesça. Il cria, pour le géant :

– Qui es-tu ? D'où viens-tu ?

Le géant soupira, pencha la tête vers le chalutier en grimaçant un peu : il n'entendait pas. Louis lui fit signe de se baisser. Au lieu d'obéir, le géant s'enfonça dans l'eau jusqu'au cou et provoqua un large remous où le bateau drossé à contre-courant cahota, se serait peut-être retourné si l'homme gigantesque, comprenant sa bévue, n'avait saisi la coque dans une main.

– Attention ! Ah ! crièrent les pêcheurs.

La *Bigouden* était un bon mètre au-dessus de la mer agitée. Le géant attendit que les eaux se fussent apaisées pour y redéposer le chalutier. Puis il s'enfouit lentement en mer jusqu'au cou, l'oreille orientée vers l'équipage. Louis cria :

– Je te demandais qui tu étais et d'où tu venais !

Le géant souffla un profond soupir qui repoussa les hommes au fond du chalutier. Ils durent s'accrocher au treuil et à la potence pour ne pas être éjectés à l'eau.

– Excusez-moi, dit le géant.

– Dis donc, fit François à Louis (par chance, le géant ne l'entendit pas), il ne doit pas souvent se laver les dents car son haleine empeste.

– Chut, recommanda Louis prudemment.

Le géant se mit à parler comme le tonnerre. Les matelots se bouchaient les oreilles pour atténuer la violence des sons qui leur parvenaient :

– Je me suis fait voler mon royaume par un magicien.

– Et où se trouvait-il votre royaume ? interrogea Jeannot.

Le géant sortit une main de l'eau pour indiquer la direction du sud. Aussitôt la mer se remit à danser. Les pêcheurs se cramponnaient à leur chalutier.

– Excusez-moi, répéta le géant. C'est une grande île, par là. Très loin.

Il cessa de remuer, le temps que la mer s'étale, et reprit :

– Elle se trouve au bout des sept mers. Une île magnifique. J'en étais le roi avant l'arrivée du Magicien Noir. Il m'en a chassé. Il m'a condamné à grandir par sortilège...

– Le salaud ! dit Louis.

– N'est-ce pas, soupira le géant en envoyant encore une sacrée bouffée de vent à la face des hommes d'équipage.

– Et vous ne pouvez pas lui casser la figure, costaud comme vous êtes ? s'étonna François approuvé par ses camarades.

– C'est vrai, ça ! dit Louis. Votre magicien, vous lui collez une tape sur le nez, l'affaire est réglée !

Le géant secoua la tête dans l'eau, s'ébroua et fit de belles vagues.

– Pas si simple ! dit-il de sa voix formidable. Ce magicien n'est pas comme les autres ! Ses pouvoirs ne sont pas ordinaires !

– Par exemple ? demanda Louis.

– Oui ! Oui ! réclamèrent les pêcheurs. Par exemple ?

– Par exemple, s'il regarde quelqu'un, il le change en statue de sel. Il m'a transformé en géant, et pas seulement moi ! Des années que j'erre par les océans ! Des années aussi que les crabes-poux me dévoraient le cuir chevelu ; je vous remercie de m'en avoir débarrassé !

– Ce n'est rien, dit Louis.

– C'est beaucoup. Je vous revaudrai ça.

– D'accord, accepta Louis. Si je te comprends bien, il ne faut pas regarder le magicien ?

– En effet ! confirma le géant. Si son regard croise celui d'un humain, alors l'humain tombe en son pouvoir, et le magicien le transforme en statue.

– Dans ce cas, fit Jeannot, il faut l'affronter les yeux bandés !

– Impossible ! s'écria le géant. Comment l'approcher sans le voir ?

– Et, demanda Louis, si on réussissait à l'approcher, serait-il possible de le vaincre ?

– Oui, dit le géant. Si un homme l'approchait assez pour lui dire une formule magique face à face sans que leurs regards se soient croisés, alors le Magicien Noir serait vaincu.

– Qu'arriverait-il ?

– Il prendrait la fuite, les géants des mers retrouveraient leur taille ordinaire, et les statues de sel redeviendraient des êtres humains.

– Je crois que j'ai une idée, annonça Louis.

Les pêcheurs attendaient. Mais le géant secoua la tête, ce qui fit encore valser le petit navire de pêche.

– Pardon, s'excusa le géant. Mais si ton idée consiste à approcher le magicien en le regardant dans un miroir, elle n'est pas bonne.

– Ah ! fit Louis, déçu.

C'était l'idée qu'il avait eue. Le géant soupira, le vent de son haleine plaqua l'équipage à la paroi de l'abri de navigation.

– Un homme a eu la même idée, naguère, expliqua-t-il. Mais quand son regard a croisé celui du Magicien Noir dans le miroir, il fut transformé en statue.

Louis poussa un grognement de contrariété. Il frappa la paume grande ouverte de sa main gauche avec son poing droit. Il se mit à marcher sur le bateau de long en large.

– Qu'est-ce qu'il a ? se renseigna le géant.

– Chut ! Il pense ! dit François. Quand il pense, il fait toujours ça !

Le géant se tut. Lui et les marins regardaient Louis arpenter le pont. Et d'ailleurs, bientôt, le jeune homme se mit à tourner autour de la cabine et de plus en plus vite.

– A-t-il l'habitude de penser comme cela longtemps ? s'inquiéta le géant de sa voix de stentor.

– Des fois oui, des fois non, répondit Jeannot qui était d'origine normande.

– Bon, admit le géant. Laissons-le penser. Y a-t-il une chose que je puisse faire pour vous, en attendant ?

– Ma foi, dit François, nous allions pêcher

quand nous avons découvert l'île – pardon, quand nous avons vu le sommet de votre crâne. Et si vous vouliez bien nous...

– Vous aider ? Facile. Passez-moi votre filet.

– Heu, fit Jeannot en regardant les autres, c'est qu'il ne s'agit pas d'un petit filet mais d'un chalut...

Le géant sortit son énorme main de la mer et éclaboussa la *Bigouden.*

– Donnez-moi ça, dit-il.

Louis marchait en se grattant la tête, autour de la cabine. Les pêcheurs entreprirent de dérouler le long chalut de mailles fines à l'aide du treuil. Ils avaient du mal à le soulever, mais la main formidable l'attrapa comme s'il s'agissait d'un filet à provisions.

– Attendez-moi, recommanda le géant aux matelots.

– Attention aux remous ! lui cria François en le voyant plonger.

Le géant lui adressa un geste rassurant de sa main libre et s'enfonça doucement dans l'élément liquide. Le bateau se balança un peu. Le géant avait disparu dans les profondeurs avec le chalut. Les pêcheurs essayèrent de le repérer entre deux eaux. Soudain, François cria :

– Là-bas !

Loin en mer, au moins à trois milles, la tête du géant avait surgi de l'onde comme une falaise. Le géant s'ébrouait, secouait la tête pour chasser l'eau de sa chevelure. Une série d'ondulations s'élargissait autour de lui en cercles concentriques. Elles parvinrent au chalutier qui dansa, tangua, cahota. Les pêcheurs n'en furent pas trop incommodés ; Louis tournait toujours en grommelant.

– Le géant plonge ! cria Jeannot. Gare à la vague !

– Il a la bougeotte ! protesta François.

Le géant progressait de nouveau sous la surface des eaux et de fortes ondulations vinrent secouer le bateau de pêche. A peine l'équipage était-il remis à ses émotions que la tête ruisselante du géant émergea à bâbord.

– Attention !

Mais l'avertissement était inutile car le géant avait pris la précaution de retenir la *Bigouden* dans la paume de sa main libre. La houle passa sans la troubler. Quelques vagues crachèrent pardessus bord, mouillant l'équipage qui en avait vu d'autres. Le géant sortit sa seconde main de la mer ; sous ses doigts crispés pendait le chalut bourré à craquer de poissons : maquereaux, sprats. Les mouettes piaillaient autour.

– Mille sabords ! s'écria François.

– Quelle pêche ! s'écria Jeannot.

Yves et Hervé étaient déjà dans le parc à poissons à l'arrière de la *Bigouden* pour faire le tri. Le géant y déversa le contenu du chalut.

– Vous m'excuserez, dit-il de sa voix stupéfiante, j'ai raclé le fond, et j'ai ramassé des débris avec...

Il disait cela parce qu'un très vieux coffre avait chu sur le pont avec les poissons. Les hommes d'équipage reculèrent, étonnés.

– Qu'est-ce que c'est que ça ? dit Hervé.

Le coffre avait des ferrures rouillées et rongées, très anciennes.

– Ça traînait, dit le géant. Sans doute à côté d'une épave de galion.

Les marins étaient ébahis.

– Un trésor ! s'écria François. On dirait un trésor !

– Ouvrons-le ! dit Yves.

– Vous voulez que je l'ouvre ? offrit le géant.

Il écrasa le coffre entre le pouce et l'index. Des centaines de doublons d'or roulèrent entre les poissons.

– Oh ! cria l'équipage.

– Je vous l'avais bien dit, fit le géant d'un air dégoûté, ce sont des saloperies. Il y en a beaucoup au fond des océans.

– De l'or ! s'extasiaient les pêcheurs.

Ils glanaient les pièces et les entassaient dans leurs musettes.

– Si ces cochonneries vous plaisent tant, dit le géant, je vous en procurerai d'autres...

– Oui ! Oui ! Hourra ! s'écrièrent les marins.

Ils furent interrompus par un autre cri :

– J'ai trouvé !

Louis sautait sur le pont à pieds joints d'un air triomphant.

– Qu'est-ce qu'il a ? demanda le géant. Est-ce qu'il pense encore ?

– Non, il a fini ! dit François.

Déjà, Louis accourait au bastingage.

– Les amis, j'ai trouvé le moyen de vaincre le magicien !

– Si tu réussis, déclara le géant de sa grosse voix, je te donnerai ma fille en mariage.

– Et qu'est-ce que j'en ferais? riposta Louis. Je n'ai pas envie d'épouser une montagne.

– Mais non, corrigea François. Si tu réussis, ce ne serait plus une montagne vu que le magicien serait en fuite, et que les géants redeviendraient humains.

– Admettons, dit Louis. Mais je n'ai pas envie de me marier !

– N'en parlons plus, fit le géant en levant une main hors de l'eau et en obligeant tout le monde à s'amarrer au chalutier, pour ne pas culbuter les quatre fers en l'air à cause du déferlement du ressac. Si tu ne veux pas de la princesse, je te donnerai ce qui te fera plaisir.

– Oui ! Oui ! approuva l'équipage. Demande-lui de racler le fond des océans ! C'est plein d'épaves et de trésors !

– Nous verrons, dit Louis.

– Sauf que si tu triomphes du Magicien Noir, grommela Jeannot qui était plutôt réaliste, le géant ne sera plus un géant et ne pourra plus descendre au fond de l'eau.

– Non, non, le rassura le géant. Je redeviendrai humain, certes, mais pas d'un seul coup. J'aurai le temps de racler ces détritus pour vous puisque vous y tenez.

Les pêcheurs acquiesçaient. Louis tapa sur le plat-bord.

– Écoutez-moi donc à la fin !

– Vas-y, cause ! dit François.

– Voilà, exposa Louis. Nous avons le talkie-walkie.

L'équipage opinait du chef. Le géant inclinait la tête d'un air interrogatif. Louis fit le geste de chasser les mouches.

– T'occupe, dit-il. A chacun ses compétences.

Contente-toi de nous guider jusqu'à ton royaume et nous ferons le reste.

– Bon, accepta le géant.

Les pêcheurs se grattaient tout de même la tête sous le bonnet.

« Hum ! Quel reste ? » murmura François entre ses dents de manière à ne pas être entendu du géant.

Louis poursuivit :

– Vous m'enfermerez avec le talkie-walkie dans un tonneau à harengs, et le géant me déposera sur son île. Après, on verra. Chaque chose en son temps.

Les marins se dévisageaient d'un air incrédule.

– On verra ou on ne verra pas, fit Jeannot.

Le géant vit le doute agiter les hommes d'équipage.

– Quelque chose ne va pas ? demanda-t-il.

– Tout va bien ! le rassura Louis. Jeannot, mets le moteur en marche. Et toi, le géant, conduis-nous...

Le géant secoua la tête.

– Je vais vous remorquer, vous irez plus vite...

Il avança d'un pas dans l'eau de manière à se placer devant la *Bigouden* et saisit deux filins dans la main droite.

– Hé ! attends ! lui cria Louis.

Trop tard. Le géant avait plongé en avant et se mit à courir au fond de l'eau. Le bateau fut brutalement soulevé et fonça sur la mer cent fois plus vite que ses moteurs le lui auraient permis. L'équipage se cramponnait au bastingage et le vent sifflait à leurs oreilles.

– Hoooooo ! moins viiiiiite ! criaient les pêcheurs affolés.

Le géant finit par se retourner et ralentit sa course avec un geste d'excuse. Les matelots purent de nouveau circuler à bord de la *Bigouden* remorquée.

– Et alors, Louis, qu'est-ce que tu comptes faire ? demanda François en mettant à profit l'accalmie.

Louis entraîna ses camarades dans l'abri de navigation, car l'eau fendue par la proue fouettait la coque du chalutier et les éclaboussait d'embruns. Il s'expliqua, une fois la porte refermée.

– Pour vaincre son Magicien Noir, rappela-t-il, il faut affronter son regard face à face, et pourtant sans le voir. Or on ne sait pas où le trouver, ce qui vous oblige à le chercher. D'accord ?

– D'accord, dit Jeannot. Mais si tu le cherches, tu le vois. Et comme il te voit lui aussi, te voilà changé en statue comme tous ceux qui ont déjà tenté l'aventure !

– Erreur, camarade ! dit Louis.

– Explique-toi.

– Premièrement, je mets des lunettes voilées de manière à ne pas voir le magicien.

– Comment le trouveras-tu ?

– C'est lui qui me trouvera.

L'équipage ne comprenait pas. Le bateau filait sur la mer sans un son, c'était fantastique. Louis reprit :

– Nous allons vider une caque à harengs.

– Et après ? fit Yves intrigué.

– Après je m'enferme dedans avec le talkie-walkie, et vous reposez le couvercle par-dessus.

– Et après ? fit Hervé qui n'était guère plus avancé.

– Après, le géant emporte la caque et la laisse en évidence sur la plage de son royaume.
– Bon, d'accord, dit François. Et après ?
– Après, poursuivit Louis, je suis enfermé avec le talkie-walkie et je ne vois rien à cause des lunettes opaques. Mais j'entends.
– Qu'est-ce que tu entends ? demanda Jeannot.
– J'entends la voix de l'un d'entre vous dans le talkie-walkie puisque vous avez gardé le second appareil. Vous vous trouvez en mer, au large de l'île, assez loin de la plage pour que vos regards ne risquent pas de croiser ceux du magicien. Et vous observez ce qui se passe à la longue-vue.
L'équipage réfléchissait. Soudain, les yeux de François brillèrent.
– Compris ! C'est nous qui t'avertissons si le magicien vient !
– Parfaitement, dit Louis.
– Et alors ? dit Jeannot.
– Alors, dit François, dès que Louis est prévenu de l'arrivée du Magicien Noir, il sort de la caque et il crie la formule magique pour le vaincre.
– Et si le magicien lui tourne le dos ? dit Hervé.
Les hommes d'équipage firent silence. François lui-même ne savait pas répondre à l'objection et ouvrait la bouche sans un son. Louis sourit.
– Pas de problème, dit-il. Vous me prévenez. Et comme nous ferons une marque sur le tonneau, vous me dites de combien de degrés je dois pivoter à l'intérieur pour me retrouver face au Magicien Noir.

Les pêcheurs éclatèrent de rire. Ils décochaient des bourrades à leur camarade, ils l'appelaient « rusé », « futé », « astucieux », « malin ». J'en passe.

– Tout de même, observa Jeannot. C'est risqué.

– J'aime mieux être à ma place qu'à la tienne ! ajouta Yves.

– Passe-moi tes lunettes de soleil, demanda Louis à Hervé.

– Ah ! non. Elles sont toutes neuves !

– Tu en rachèteras d'autres ! fit François en rappelant du menton l'existence des sacoches bourrées de doublons d'or.

– Juste, Auguste, reconnut Hervé.

Il remit ses lunettes à Louis qui colla sur les verres d'épaisses étiquettes, qui servaient d'habitude à reconnaître les bacs à poissons. Pendant ce temps, François et Jeannot avaient vidé une caque aussi volumineuse qu'un tonneau. Jeannot se pinçait les narines.

– Dis donc, Louis, fit-il, tu ne vas pas respirer le parfum des roses là-dedans !

Les autres riaient. La *Bigouden* fonçait sur la mer comme un canot de course en laissant derrière elle un long sillage d'écume. Le géant ne se fatiguait pas de la remorquer. Avec de la peinture blanche à repeindre la potence, Louis traça une marque à l'extérieur de la caque et la même à l'intérieur au même emplacement.

– Et voilà le travail ! dit-il gaiement. Je me tiendrai là-dedans face à cette marque.

– Je crois que nous approchons du royaume de notre géant ! avertit Jeannot.

Il était sorti de l'abri et regardait dehors. Les autres le rejoignirent. On apercevait d'autres têtes de géants hors de l'eau comme un minuscule archipel. Le géant ralentit son déplacement. Le bateau s'immobilisa sur l'eau plate et se balança quelque peu.

– Encore un conseil, les amis, dit Louis à son équipage. Quand vous observerez la plage, que celui qui se servira de la longue-vue cesse de regarder, si par hasard le magicien tourne la tête dans votre direction. Sans longue-vue, vos regards ne pourront pas se croiser à cette distance, mais avec il y aurait un risque.

– Compris, assura François. Je m'en charge.

– Moi je te transmettrai les renseignements par le talkie-walkie, proposa Jeannot.

– Voilà notre ami le géant, dit Hervé.

L'extraordinaire personnage revenait vers le bateau en soulevant une énorme masse d'eau de mer devant lui ; le chalutier tangua, dansa, s'offrit une séance de montagnes russes. Le géant était un peu essoufflé.

– Nous sommes presque arrivés, annonça-t-il en lançant encore une bourrasque de vent à la face des marins pêcheurs. Mon royaume s'étend là-bas devant, de l'autre côté des brumes.

– Tu me déposeras sur la plage, lui dit Louis. Mes amis te préciseront comment placer le tonneau.

– Compte sur nous, dit François.

– Ensuite, tu reviendras attendre en mer auprès de la *Bigouden*.

– Entendu, déclara le géant. Mais que veux-tu faire ?

– Tu verras. Donne-moi la formule pour triompher du Magicien Noir.

Le géant cherchait à deviner le projet de Louis. Il n'y parvint pas. Alors il récita la formule magique :

Par le fer et par le feu,
Tes yeux ne voient pas mes yeux !
Magicien de noir vêtu
T'es foutu !

L'équipage se dévisageait, hochait la tête. Hervé pouffa de rire :

– Hi, hi, hi ! Dis donc, ce n'est pas Victor Hugo qui l'a écrite, ta formule !

– Non, c'est moi, répondit le géant avec innocence. Pourquoi ?

– Passons, fit Hervé pour ne pas le vexer.

L'équipage avait de la peine à cacher ses sourires, mais le géant ne comprenait pas ce qui amusait tant les pêcheurs. Si vous ne le comprenez pas non plus je n'y peux rien.

– Maintenant, au travail ! dit Louis.

Il enjamba la caque et s'accroupit au fond, droit en face de la marque blanche. Il s'était contenté pour l'instant de caler les lunettes d'Hervé sur son front. Elles étaient parfaitement opaques. Alors Yves transmit le talkie-walkie à son camarade, et l'on fit un essai de fonctionnement, Jeannot étant à l'avant du chalutier.

– Allô ! Louis ! tu me reçois ?

– Cinq sur cinq. Et toi ?

– Cinq sur cinq.

Jeannot revint. Yves avait pensé à couper un

morceau du tuyau d'arrosage en plastique ; on le glissa dans une fente du tonneau pour que Louis puisse mieux respirer.

– Merci, dit-il. J'espère que le magicien ne tardera pas à se manifester.

– Mettons-nous en place le couvercle ? demanda François.

– Attendons d'être en vue de l'île, dit Louis.

Le géant reprit son poste en avant du bateau et se remit à le haler. L'équipage resta cramponné au bastingage. On se faufila entre d'autres têtes de géants, la population du royaume transformée par le Magicien Noir. Les têtes s'inclinaient sans mot dire pour saluer l'ancien roi, et le bateau chancelait de bâbord sur tribord sous la houle. Enfin l'on fut en vue d'une côte. Le géant s'immobilisa dans l'eau à quelques encablures d'une plage de sable fin. Le bateau reposa. Hervé jeta l'ancre. François porta la longue-vue à son œil droit en fermant l'œil gauche.

– Je vois une plage magnifique, annonça-t-il, bordée de palmiers. Oh ! derrière la forêt, je distingue une ville extraordinaire, on dirait qu'elle est en cristal. Il y a un palais fantastique...

– C'est le mien, dit le géant revenu s'asseoir au fond de l'eau à côté du chalutier. Ma fille y est prisonnière du Magicien Noir. Est-ce que vous voyez des statues de sel ?

– En effet, dit François. Une demi-douzaine sont sur la plage...

– Ce sont des jeunes gens courageux qui ont essayé déjà de vaincre mon ennemi, expliqua le géant.

Les pêcheurs se rembrunirent. Ils se faisaient du souci pour Louis.

– Allons ! leur dit-il. Pas de sensiblerie. Fermez le couvercle du tonneau.

– Et si le magicien ne descendait sur la plage qu'à la nuit ? dit soudain Jeannot avec inquiétude. François ne le remarquerait pas et nous ne pourrions pas t'avertir !

– D'accord, admit Louis. S'il n'est pas venu à la nuit tombante, récupérez-moi. Nous recommencerons demain. Et maintenant, fermez ce couvercle.

Yves posa le couvercle sur la caque. Jeannot fit un dernier essai de talkie-walkie.

– Est-ce que tu m'entends, Louis ?

– Parfaitement. Et toi ?

– Cinq sur cinq. Bonne chance !

Alors le géant saisit la caque dans une main comme s'il s'agissait d'un dé à coudre, et marcha vers le rivage en s'éclaboussant le torse et les flancs. Des mouettes et des macareux volaient autour de sa tête. Le géant étendit son bras jusque sur la plage.

– Ça y est, annonça François qui l'observait à la longue-vue. Il a déposé le tonneau.

– L'a-t-il bien orienté ? demanda Hervé.

– Très bien, dit François. Je vois la marque blanche.

– Il ne reste plus qu'à attendre, dit Yves.

Le géant revenait, s'enfonçait dans l'eau bleue comme un simple mortel dans sa baignoire. Le soleil brillait sur son royaume merveilleux, et faisait étinceler les tours de cristal. François promena sa longue-vue sur la ville.

– Pour l'instant, dit-il, je ne vois rien. Personne n'a encore remarqué le to... Si ! un garde !

Je vois un garde tendre le bras dans la direction de la plage, et j'en vois un autre partir en courant vers le palais !

– Il va alerter le magicien ! s'écria Hervé. Pourvu qu'il n'arrive rien de mal à Louis ! Est-ce que tu vois d'autres statues de sel ?

– Oui, j'en vois une dizaine sur le chemin qui mène au château.

Le géant venait de se rasseoir en douceur auprès de la *Bigouden.*

– Alors ? chuchota-t-il.

Il avait beau faire, sa voix restait puissante.

– Alors pour l'instant rien, répondit François.

Puis il s'adressa à Jeannot :

– Vérifie si Louis nous entend.

– Allô, Louis ! Ici Jeannot ! Tu me reçois ?

La voix de Louis répondit, atténuée par l'appareil :

– Cinq sur cinq. Maintenant silence. Ne me reparlez que lorsque vous verrez le magicien.

L'équipage se tut. Attendit. François surveillait la ville, le château, la route et la plage. Quelquefois, il confiait la longue-vue à Yves ou Hervé pour reposer ses yeux. Les pêcheurs s'étaient assis et jouaient aux cartes. Le géant regardait la plage lui aussi, sa plage. D'autres géants, devinant qu'une nouvelle tentative était en cours pour libérer le royaume, s'étaient rapprochés. Des nuées de mouettes, de goélands, de macareux et de pétrels environnaient leurs têtes en piaillant ; parfois, les oiseaux se posaient dessus, et les géants s'en débarrassaient en s'ensevelissant un moment en mer.

– Voilà quelqu'un ! s'écria Yves tout à coup.

– Hein ?

François attrapa la longue-vue. Yves désignait la route. François fit la mise au point.

– Sacrebleu ! C'est lui ! Le Magicien Noir ! Sur la route ! Il n'est pas tout seul !

Les matelots tâchèrent de regarder au loin, mais ne le purent pas sans longue-vue. Le géant demanda :

– Est-ce que le magicien est bien vêtu de noir ?

– Des pieds à la tête, avec une longue cape et un large chapeau, répondit François.

– C'est lui ! confirma le géant en abattant son poing rageur sur la surface de l'eau, ce qui eut pour effet de balancer le chalutier dangereusement. Les matelots s'accrochèrent au plat-bord en criant.

– Oh ! pardon ! Excusez-moi ! chuchota le géant confus.

– Vous voulez nous jeter à la mer ! s'écria François.

– C'est l'émotion, vous comprenez, balbutia le géant fautif.

– Oui, oui, dit François. Ne recommencez pas ! J'ai failli lâcher la longue-vue !

– Est-ce que le magicien arrive sur la plage ? demanda Jeannot.

François pointa sa lunette sur la route.

– Oui. Il est suivi d'une foule de courtisans et... Sacrebleu ! leurs habits sont d'argent et d'or !

– Fais voir ! Fais voir ! réclamèrent les hommes d'équipage.

– Non. Plus tard. Pour l'instant, nous ne devons penser qu'à Louis. Jeannot, préviens-le.

– Attention, Louis ! attention ! chuchota Jeannot dans le talkie-walkie. Le Magicien Noir arrive sur la plage avec toute sa cour. Il est intrigué par le tonneau.

– Compris, répondit Louis à voix basse.

– Est-ce que ma fille est parmi les courtisans ? demanda le géant qui s'était enfoncé dans l'eau jusque sous les yeux pour éviter d'être reconnu par l'usurpateur.

François examina la foule. Derrière le Magicien Noir venaient des militaires chamarrés, des chambellans, des porteurs de parasols et de palmes, des dames en robes de plumes et de soie, et parmi celles-ci une jeune fille blonde d'une beauté radieuse.

– Ma foi, dit François, si votre fille est une beauté blonde, alors elle est là aussi.

– Émeraude ! C'est elle ! s'écria doucement le géant en faisant des bulles énormes, parce que sa bouche était restée dans l'eau. Le magicien la retient prisonnière...

– Ce n'est pas une géante, fit remarquer François d'un air étonné.

– Je n'ai jamais prétendu que ma fille était une géante, répliqua le géant. Le magicien ne l'a pas métamorphosée...

Pendant ce dialogue, le cortège s'était arrêté sur la plage entre deux statues de sel. On entendait de la musique, et bientôt l'on vit paraître un groupe d'instrumentistes suivi de danseuses légères...

– Attention, Louis ! chuchota Jeannot. Le Magicien Noir est à cinquante pas de la caque. Direction 210-215 degrés. Il est intrigué.

Dans le tonneau, Louis entendait le renseignement. Il pivota doucement, accroupi au fond, de 215 degrés pour se trouver face aux arrivants. Il attendit. Il ne voyait rien. Il avait abaissé les lunettes opaques sur ses yeux. L'attente se prolongea. De la *Bigouden,* les matelots regardaient la plage, ne voyaient qu'un groupe indistinct. Soudain, François abaissa sa longue-vue.

– Le magicien regarde le bateau, expliqua-t-il.

Il attendit un peu et se revissa l'instrument à l'œil droit. Il parut troublé.

– Hé ? fit-il.

– Quoi ? demanda Jeannot.

– On dirait que le magicien porte aussi des lunettes.

– Des lunettes ? fit le géant en fronçant les sourcils. C'est bizarre. Il n'en porte pas d'habitude...

– Il faut prévenir Louis, dit François.

Jeannot chuchota dans le talkie-walkie :

– Attention, Louis. Le magicien porte des lunettes. Attention. Il avance vers toi. Il est à moins de trente pas. Il s'arrête. Il se méfie.

Dans la caque, Louis ne voyait rien, mais la voix caressait doucement son oreille :

– Il avance de nouveau. Attention. Il contourne la caque. Il change de cap. 140 degrés par rapport à la marque blanche sur le tonneau. Il s'arrête encore...

Louis pivota pour demeurer face au magicien. Il n'avait plus besoin de voir la marque intérieure, il avait gravé un point de repère avec son canif. La voix de Jeannot reprit, très bas :

– Il se remet en marche. Il tourne. 60 degrés. Il continue. Encore 20 degrés. Il regarde le tonneau.

Il avance vers lui. Il est à dix pas. Neuf pas. Huit pas. Il s'arrête. Il ajuste ses lunettes. Il repart vers la caque, mais plus lentement. Plus que sept pas. Six pas. Cinq pas. Quatre pas. Il progresse très lentement. Il est tout près de toi. Il fait halte. Deux pas.

– C'est le moment ! s'écria le géant dans l'eau.

– C'est le moment ! répéta Jeannot dans le talkie-walkie.

Alors Louis souleva le couvercle de la caque juste en face du Magicien Noir qu'il ne pouvait pas voir à cause des lunettes opaques. Il cria la formule magique à pleins poumons :

Par le fer et par le feu,
Tes yeux ne voient pas mes yeux !
Magicien de noir vêtu
T'es foutu !

Mas à peine avait-il récité cette succulente pièce de poésie lyrique, qu'il s'entendit répondre par un éclat de rire, suivi de ces vers de mirliton :

Raté ! Je ne suis pas si bête :
Moi aussi j'ai mis des lunettes !

Du bateau, on avait observé la scène. Louis avait jailli hors de la caque comme un diable hors d'une boîte à surprise, mais le Magicien Noir n'était pas vaincu.

– Qu'est-ce qui se passe ? s'écria François. Le magicien n'a pas bronché !

– Il a mis des lunettes ! comprit le géant. Sûrement des lunettes obscures lui aussi ! Ah ! je me doutais de quelque chose !

– Attention ! chuchota Jeannot dans le talkie-walkie. Le magicien porte des lunettes comme les tiennes !

– Compris ! dit Louis.

Il se jeta de côté sur le sable sans rien voir. Il ne bougea plus, son talkie-walkie à la main.

– Que fait-il ? s'interrogeaient ses amis pêcheurs à bord de la *Bigouden*.

– Je crois qu'il essaie d'échapper au magicien, murmura François.

– Non ! non ! protesta alors le géant. Il faut qu'il arrache les lunettes du Magicien Noir ! Guidez-le ! Il peut le faire ! Le magicien n'y voit pas non plus !

– Compris, dit Jeannot.

Il transmit dans le talkie-walkie :

– Attention, Louis ! Le magicien n'y voit goutte non plus ! Tu dois lui ôter ses lunettes pour le forcer à te regarder ! Mais surtout ne retire pas les tiennes ! Attention ! Il est à douze pas. 70 degrés par rapport à toi...

Louis pivota sur sa droite. Du bateau, François et Jeannot le guidaient :

– Stop ! Droit devant ! Douze pas...

Louis allongea la jambe gauche.

– Onze pas, le renseigna Jeannot.

Louis fit un second pas.

– Dix pas, annonça Jeannot. 5 degrés à droite. Corrige.

Louis modifia sa trajectoire et fit un autre pas en avant. Il entendit rire le magicien. Il s'immobilisa. Le magicien fit deux pas vers lui en ricanant.

– Que se passe-t-il encore ? s'écria François sur le chalutier. On dirait que le magicien le voit malgré ses lunettes noires !

– Il le sent ! devina Hervé. Louis doit empester le hareng !

– C'est ça ! reconnut François. Le magicien lève la tête, comme s'il flairait...

– Attention, Louis ! chuchota Jeannot dans le talkie-walkie. Le magicien te repère à ton odeur ! Il est à huit pas. Sept pas. Il s'approche !

Louis l'entendait rire. Alors il se jeta soudain sur le côté à l'aveuglette comme tout à l'heure, et roula sur lui-même. Il se releva aussitôt et posa le talkie-walkie sur le sable au bout de son soulier droit. Du bateau, François l'observait.

– Il est devenu fou ! Il se déshabille ?

– Oui ! Hourra ! crièrent les matelots.

Louis se déshabillait à toute vitesse. La veste, la chemise, le pantalon, le caleçon même. Tout. Il était nu, sauf les lunettes. Il se baissa, trouva le talkie-walkie à tâtons. Dès qu'il fut en sa possession, il plongea de nouveau sur le côté, et s'immobilisa.

– Oui ! Bravo Louis ! crièrent les marins (trop loin pour qu'il puisse les entendre l'applaudir).

La voix de Jeannot lui parvint à l'oreille, chuchotée :

– Bravo Louis. Le Magicien Noir marche vers tes habits. Il en est à douze pas. Il passe à tribord à neuf pas. Environ 30 degrés.

Louis rectifia la position. Il ne se doutait pas, évidemment, puisqu'il n'y voyait goutte, que toute la cour du royaume le reluquait tout nu. Il pivota.

– Stop ! dit Jeannot. Le magicien est à huit pas de toi. Il se déplace toujours vers tes habits, la puanteur des harengs l'attire. Avance droit devant. Bien. Six pas comme ça et tu couperas sa trajectoire. Attention. Quatre pas. Il est légèrement de biais pour toi, mais sur ta main droite. Plus que trois pas et tu le percutes. Stop. Attends. Il s'est arrêté lui aussi. Attention, il fait un pas en avant. Il est à peu près de ta taille. Lève la main à hauteur de ton front pour saisir ses lunettes quand il va passer. Attention... Vas-y !

Une exclamation joyeuse des marins salua l'exploit de Louis lorsqu'il arracha les lunettes de son adversaire et les jeta au loin. Il avait crié la formule en même temps :

Par le fer et par le feu,
Tes yeux ne voient pas mes yeux !
Magicien de noir vêtu
T'es foutu !

Un hurlement de rage retentit alors ! La pièce de vers n'était sans doute pas de la belle poésie, mais elle était efficace ! Le magicien, lunettes arrachées, venait de contempler son ennemi sans que leurs yeux se croisent ! Tous les assistants (à l'exception de Louis qui restait masqué) virent le Magicien Noir se ratatiner en se tordant de douleur. Des fumées épaisses s'élevaient de ses vêtements à gros bouillons, et dans ces nuées tourbillonnaient des diables cornus. La foule des courtisans reflua en désordre à l'abri des palmiers. Les instrumentistes abandonnèrent leurs instruments, et le menu personnel tous les parasols. Du bateau à l'ancre, les pêcheurs virent le tas de noirceur du magicien se tortiller, s'étirer soudain en un fantastique cormoran de plus de deux mètres d'envergure. L'oiseau s'envola au-dessus des fumées, c'était le Magicien Noir qui prenait la fuite en jetant un long cri de haine.

– Attention ! crièrent les marins.

Mais ils n'avaient pas prévu la réaction du géant. De l'eau bleue, le bras et la main du géant jaillirent comme une fusée, capturèrent l'oiseau démoniaque en plein essor. Le cormoran glapit. Trop tard. Il était broyé entre les doigts vengeurs. Le géant abattit son poing fermé dans l'eau, et l'y laissa. Le chalutier, bousculé par les vagues, roulait bord sur bord, et les quatre pêcheurs se cramponnaient au treuil et à la potence pour ne pas tomber. Le géant ne desserrait pas son étreinte. Le cormoran resta immergé par trente mètres. Bientôt, la mer fut redevenue étale, la *Bigouden* retrouva son assise tranquille. Le géant ne bougeait pas. Son regard était terrible sous ses sourcils froncés. Les matelots échangèrent un sourire sceptique :

– Le cormoran est sûrement noyé ! fit François.

– Il a bu la tasse ! dit Hervé.

Jeannot était resté fasciné par la fin du Magicien Noir. Il en avait oublié Louis sur la plage. Il se ressaisit et cria dans le talkie-walkie :

– Bravo Louis ! Tu as gagné ! Tu peux ôter tes lunettes !

Le géant sortit sa main de la mer. Le cormoran noyé dégoulinait d'eau, flasque comme une poupée de chiffon. Le géant le lança au loin à vingt milles. L'élément liquide l'engloutit. Les autres géants émergeaient des flots à leur tour, et acclamaient leur roi. Sur la plage, Louis ôta ses lunettes. Il se vit tout nu devant deux cents courtisans revenus, et parmi ceux-ci de très nombreuses dames, et même une très belle demoiselle...

– Mille sabords ! s'écria le jeune homme en rougissant autant qu'une cerise mûre.

Il courut à ses habits puants et les enfila. Déjà, ses camarades de la *Bigouden* débarquaient en chaloupe. Ils vinrent le porter en triomphe. Ils chantaient une chanson de marine, dont je ne rapporterai pas les paroles, vu leur manque de délicatesse. La foule de courtisans approcha. Incrédule, elle doutait encore de la mort du Magicien Noir.

– Mais oui ! Il est mort ! leur cria François. Il est mort le piaf ! Notre copain Louis l'a vaincu, et le géant l'a plumé !

La foule poussa des acclamations de bonheur et lança les chapeaux en l'air. Les musiciens entonnèrent une marche orgueilleuse, et tout le monde se mit à danser une farandole sur la plage.

– Regardez ! Regardez !

Les statues de sel fondaient, et de chaque statue sortait une personne vivante. C'étaient les braves qui avaient essayé de libérer le royaume sans succès. Ils vinrent à leur tour fêter leur libérateur. Mais Louis ne les regardait pas. Il contemplait comme un benêt la belle demoiselle entourée de courtisans.

– Hé ! lui dit Jeannot avec un clin d'œil. Je parie que tu ignores qui elle est ?

– En effet.

– C'est la fille du géant !

– Hein ?

– Mais comme tu as prétendu rester célibataire, mieux vaut ne pas penser à elle...

– Hein ?

Louis était hébété. Il se tourna vers ses compagnons :

– Où est le géant ?

– Parti racler le fond de l'océan pour nous rapporter quelques trésors, répondit Yves. Tu te rappelles que c'est ce que tu lui as demandé ?

– Hé ! minute ! dit Louis...

On voyait la mer enfler, gonfler ; le géant en ressortit ruisselant. Il rapportait dans chaque main une dizaine de coffres anciens récupérés dans des épaves. Il les laissa tomber sur le sable auprès de l'équipage extasié. Yves en ouvrit un avec son couteau : les doublons d'or étincelèrent au soleil. Les pêcheurs se mirent à danser en se tapant sur les cuisses en cadence. Mais Louis appelait le géant :

– Camarade ! attends ! J'ai à te parler !

Le géant ne le regardait pas, parce que sa fille accourait au-devant de lui sur la plage.

– Père ! père ! tu es revenu !

La foule applaudissait. Les autres géants venaient aussi, dressés au-dessus de l'eau bleue comme des tours fantasmagoriques. Leur roi s'était mis à plat ventre dans l'eau la tête vers la plage, de manière que sa fille ne soit pas trop loin de ses yeux. Elle se tenait debout devant lui.

– Père ! redeviendras-tu comme avant ?
– Oui, gronda le géant de sa voix de tonnerre.
– Quand ? s'écria la princesse.
– Bientôt, très bientôt, grâce à notre ami que voilà...

Il cherchait Louis. Le jeune homme fit en courant le chemin qui le séparait de la princesse. Il appela le géant :

– Attends !

Voulant lui parler seul à seul, il se suspendit à ses cheveux et escalada son oreille. Il cria dans le conduit auditif, les mains en porte-voix sur sa bouche :

– Tu m'avais promis la main de la princesse !
– Mais ? fit le géant étonné. Tu n'en voulais pas, rappelle-toi !
– Pardon ! protesta Louis. Je n'avais pas vu la princesse. Mais maintenant que je la vois...

Il était tout rouge. Pour se faire entendre, il avait été obligé de crier, et se rendit compte que tout le monde l'avait entendu. La princesse baissait les yeux. Le géant éclata de rire :

– De toute façon, dit-il, je crois que tu n'as plus rien à cacher à personne ici !

Il faisait allusion à son déshabillage pour triompher du Magicien Noir. Tout le monde l'avait vu tout nu. Louis, confus, se suspendit aux cheveux du géant et se laissa glisser jusqu'au sol. Il vint à côté de la princesse. Comme il ne savait pas lui parler, il restait tout bête, mais tout le monde devina qu'il était tombé follement amoureux de la jeune fille, et que la jeune fille le trouvait à son goût. Cependant, elle recula...

– N'ayez pas peur, belle demoiselle, murmura Louis.

– Elle n'a pas peur, andouille ! ricana François qui s'amenait gaiement avec l'équipage. Mais tu pues le hareng !

Alors, Jeannot et François l'attrapèrent par les bras, Hervé et Yves par les jambes et, malgré ses protestations, ils le balancèrent à la mer. Plouf ! Ils riaient tandis que leur ami ressortait de l'eau en crachant et en s'ébrouant. Le géant riait, lui aussi, et le vent de son haleine faisait flotter devant lui la robe de soie blanche de la princesse.

– Tu lui feras la cour quand tu seras propre ! dit-il.

On s'en retourna en joyeux cortège au château. Quelques jours plus tard, les géants des mers retrouvèrent leur taille ordinaire, et Louis épousa la princesse. Il resta dans l'île, tandis que ses marins repartaient sur la *Bigouden* chargée de doublons d'or.

Et tout le monde vécut très heureux dans ce beau royaume, dont je me garderai de vous dire où il se trouve, de peur que des charters de touristes imbéciles n'y débarquent en foule, habillés de bermudas grotesques, et armés d'appareils photographiques et de radios bruyantes. Et si vous voulez vivre vieux, je vous conseille de vivre longtemps.

Les poils du jenniken

Le vieux chalutier était en cale sèche, dans le hangar. Ludo le repeignait lorsqu'il sentit une douleur dans le dos, comme un coup de bâton.

– Aïe !

Il se retourna, ne vit rien. Pourtant, il avait l'impression de s'être cogné à quelque chose. Mais il n'y avait rien. Ludo reprit son pinceau ; il peignait le bordage couleur bleu clair jusqu'à la ligne de flottaison. Dessous, la couleur était rouge. Le chalutier serait plus présentable. Ludo sifflotait lorsqu'il reçut un coup sur la tête.

– Aïe !

Comme un coup de bâton, et en plus, Ludo l'aurait juré, comme un petit rire méchant. Il se retourna. Rien. Personne. Le hangar était désert. Il n'y avait même rien contre le mur, son père n'aimait pas voir les outils traîner. Ludo se frottait la tête. Il ne comprenait pas. Alors il se remit à l'ouvrage, mais avec méfiance, si bien que lorsqu'il sentit une nouvelle douleur au bas du dos cette fois, il se retourna aussitôt.

– Aïe ! Qu'est-ce que...

Rien. Plus exactement, presque rien. Comme

si on lui avait botté le derrière et la quasi-certitude d'avoir entendu rire, et d'avoir aperçu quelque chose. Mais quoi ? Ludo se baissa, muni de la lampe baladeuse. Il inspecta le mur du hangar, un solide mur de pierre. Il ne vit rien. Bizarre. Ludo grimpa sur le chalutier, passa dans la cabine de pilotage, et revint avec un petit miroir qui appartenait à son père. Il posa le miroir devant lui debout contre le pot de peinture, et feignit de se remettre au travail. Mais il surveillait le mur derrière lui. Alors, quelque chose bougea en silence : une pierre du mur ! Une ouverture s'agrandissait, et une espèce de petit homme vêtu de rouge, se montra sur la pointe des pieds. C'était un jenniken. Sa longue barbe rouge et ses épais sourcils accentuaient son air mauvais, Ludo était tellement surpris, qu'il ne songea pas à se retourner. Vlan ! Le jenniken venait de ramasser un bâton, et d'en assener un grand coup sur la cheville droite de Ludo.

– Aïe !

Ludo se retourna. Rien. Personne, sauf le rire méchant. Le jenniken avait déjà filé à l'abri de la grosse pierre.

– Toi, je t'aurai ! grommela Ludo.

Il s'agenouilla, observa la pierre. Elle était parfaitement scellée, au point que Ludo se frottait les yeux en se demandant si, réellement, il l'avait vue bouger. Mais il l'avait vue ! vue !

Il remonta sur le bateau, descendit dans les cales, et revint avec une tapette à souris. En ricanant presque aussi méchamment que le jenniken, il la mit en état de fonctionner. C'est facile, il suffit de tendre le ressort, de le maintenir par une tige de fer en relevant un peu une partie de bois mobile. Après, si la souris venait toucher cette partie mobile, clac ! le ressort se détendait et la bête était prise par le retour du clapet de métal. Ludo était tellement absorbé qu'il ne remarqua pas la pierre bouger...

– Aïe !

Il venait de recevoir un second coup de bâton sur la cheville, sans avoir rien vu. Le jenniken riait. Ludo serra les poings.

– Rira bien qui rira le dernier ! gronda-t-il.

Il plaça la tapette à souris devant la pierre, et se remit à peindre. Il sifflotait pour donner à entendre qu'il était vraiment occupé. Mais il regardait la pierre dans le miroir.

Elle bougea ! S'entrouvrit. S'ouvrit ! Une forme rouge se tenait dans l'ouverture, un pied avança. Ludo sifflotait, sans perdre de vue le jenniken. Celui-ci quitta sa cachette. Il était tout rouge et ses longs cheveux rouges pendaient jusqu'à terre. Et soudain, le mauvais petit gnome se précipita sur Ludo pour le frapper encore avec un bâton...

– Sacripant ! cria Ludo en se retournant.

– Ah ! cria le jenniken surpris en plein élan.

Il pivota vivement vers sa cachette à la vitesse d'une flèche. Clac ! Il venait de poser le pied sur la tapette à souris. Comme il courait très vite, il ne fut pas touché par le retour du piège (une chance pour lui car l'engin lui aurait cassé la jambe !), mais ses cheveux y restèrent coincés ! Le jenniken s'enfuit vers la pierre. Ludo se jeta par terre pour le capturer. Le jenniken, gêné par la tapette accrochée à sa chevelure avait perdu du temps. Il criait. Ludo allongea la main pour le saisir. Mais le jenniken réussit à plonger dans l'ouverture de la pierre. Ludo n'avait attrapé que la tapette. Il tira dessus, de sorte qu'elle lui resta en main, et qu'il entendit le vilain gnome rouge pousser un énorme juron, aussitôt suivi d'une série de gros mots. Le jenniken avait pu se réfugier derrière sa pierre, et celle-ci s'était refermée. Ludo se releva, la tapette à souris dans la main. Le jenniken hurlait ses imprécations au fond de sa cachette. Ludo comprit pourquoi : une poignée de longs cheveux rouges étaient restés pincés dans le piège. Ludo éclata de rire :

– Reviens-y encore, vilain personnage ! cria-t-il. Et je t'arracherai tous les poils qui te restent !

En réponse, le jenniken criait ses injures. Ludo ne s'en soucia pas. Il souleva la grosse boîte à outils de son père, et la remorqua vers la pierre. Elle était très lourde. Enfin, il parvint à la caler devant la pierre : elle barrait le passage. Alors, le jenniken changea de ton, subitement soucieux :

– Hé ! crétin ! qu'est-ce que tu fais ?

– Je te coince, répliqua Ludo.

– Arrête crétin ! Rends-moi mes cheveux !

– Pas question !

Ludo se mit à remorquer une lourde hélice vers la boîte à outils. Il la souleva difficilement, et la laissa choir sur la caisse en soufflant. Il se frotta les mains.

– Et maintenant, dit-il, essaie donc de sortir, jenniken !

Un chapelet d'injures retentit derrière la pierre. Le jenniken furieux essayait de la pousser, mais la boîte et l'hélice la bloquaient. Il était prisonnier. Il vociféra. Ludo tourna les talons.

– Braille autant que tu voudras ! dit-il en s'éloignant. Je vais faire une promenade sur le port.

Il se dirigea vers la sortie après avoir rangé son pot de peinture et le pinceau. Alors le jenniken supplia :

– Arrête crétin ! Rends-moi mes cheveux ! S'il te plaît !

– Non.

– Rends-moi mes cheveux, je ne te frapperai plus !

– A bientôt.

– Arrête crétin ! Arr...

Ludo quitta le hangar sans répondre, le jenniken s'égosillait, mais le garçon s'éloignait assez pour ne plus l'entendre.

– Je vais consulter la sorcière, se dit-il à mi-voix.

Il longea le port un moment, jetant un coup d'œil aux bateaux de pêche accostés, saluant de loin les amis. Le temps était magnifique, les bateaux se reflétaient sur l'eau bleue du bassin. Ludo se dirigea vers la côte, prit un chemin entre les rochers, et ne tarda pas à arriver à la bicoque de la mère Le Duff. Tout le monde l'appelait « la sorcière » parce qu'elle était très vieille, et vivait toute seule à l'écart des autres, avec pour compagnie une trentaine de chats et toutes sortes de bêtes inhabituelles. Un cormoran volait au-dessus de la maisonnette lorsque Ludo y vint. Le garçon hésita. Il n'avait pas vraiment peur, mais la réputation de la vieille n'était pas flatteuse. Il allait s'avancer enfin vers la porte de bois, lorsque celle-ci s'ouvrit, livrant passage à la mère

Le Duff. Elle était très laide, vêtue de noir, des cheveux raides et blancs, une verrue sur le menton, une autre sur le nez. Elle grinça :

– Qu'est-ce que tu fais là, toi !

(Elle parlait du nez, à peu près comme ceci : Qu'in-ce que tu fins lin, toin !) Ludo s'immobilisa, un énorme chat noir se faufilait entre ses jambes. D'autres chats rampaient.

– Je... heu... fit Ludo en s'éclaircissant la voix... heu... bonjour.

Un peu de politesse n'a jamais écorché la bouche à personne.

– Bonjour, répondit la sorcière.

Ses chats l'entouraient comme les poussins la fermière, lorsqu'elle s'apprête à distribuer le grain. Entre les rochers, on apercevait la mer, toute bleue. Le cormoran qui s'était posé sur la maisonnette prit son vol. La mère Le Duff attrapa des restes de poissons dans un seau, et les jeta par terre pour les chats. Elle était un peu bossue. Était-elle réellement sorcière ?

– Mère Le Duff, dit Ludo, c'est vrai que vous connaissez les secrets des korrigans ?

– Ça dépend. (Ça dépin.) Qu'est-ce que tu demandes ? (Qu'in-ce que tu demindes ?)

Ludo tira de sa poche les cheveux rouges du jenniken. La vieille s'approcha, les saisit entre ses doigts tordus par les rhumatismes. Elle hocha la tête, fit une grimace en grommelant :

– Hé, hé ! poils de tête ! Hé, hé ! poils de jenniken ! Hé, hé ! où as-tu trouvé ça ?

– Je... je les ai arrachés de la tête d'un jenniken dans le hangar à bateau de mon père, dit Ludo.

La vieille lui coula un regard torve.

– Bigre ! dit-elle. Tu as dû faire vite, car les jennikens sont rapides !

Ludo lui raconta son aventure. Il parla du piège à souris, et, contrairement à toute attente, cela fit rire la sorcière. Elle tapait du talon par terre en parlant à ses chats :

– Hin, hin, hin ! il a attrapé un jenniken avec une tapette à souris ! Hin, hin, hin ! jamais vu ça jusqu'ici ! Hin, hin, hin ! Faut le faire ! Hin, hin, hin !

Elle essuya des larmes qui roulaient sur ses joues avec un morceau de chiffon crasseux, et dit au garçon :

– Si ta tapette s'était refermée sur le jenniken, elle lui aurait cassé les reins !

– Heu, oui, admit Ludo. Peut-être....

La sorcière partit d'un autre éclat de rire éraillé ; elle n'avait presque plus de dents. Et comme une mouette venait de se poser parmi ses chats en piaillant pour voler les restes de poisson, elle lui flanqua un fameux coup de pied au croupion.

– Un à zéro pour l'équipe de Brest ! ricana la vieille.

La mouette s'envola en protestant. La sorcière cessa de rire.

– Bon, dit-elle. C'est un jenniken que tu as vu. Il est sûrement venu par la mer. Il aura voyagé dans quelque embarcation. Est-ce qu'il t'a offert quelque chose contre ses cheveux ?

– Non. Heu, si. Il m'a proposé de ne plus me frapper.

La vieille hocha la tête.

– Le sagouin !

Elle alla s'asseoir sur un petit banc qui se trouvait sous sa fenêtre. Le cormoran qui s'était envolé tout à l'heure revint se poser à côté d'elle, replia ses ailes noires. La vieille lui caressa la tête. Elle regardait la mer au loin entre les rochers gris, comme si elle avait oublié le garçon. Il toussota pour rappeler son existence.

– Hum, hum.

La vieille tourna la tête.

– Écoute voir, dit-elle. Quand un jenniken perd ses cheveux, il vieillit. Alors il fait tout ce qu'il peut pour les récupérer. Il promet même n'importe quoi.

– Et alors ? demanda Ludo.

– Alors, s'il les récupère, il se les colle sur la tête et retrouve sa jeunesse. Mais il ne tient pas sa parole.

– Il ment ?

– Constamment. Il peut te promettre n'importe quoi, ça ne l'empêchera pas de te rouler.

– Comment ?

Les chats montaient à l'assaut du banc et des genoux de la vieille. Elle les caressa, elle les connaissait tous, et les appelait par leur nom :

– Paix, Lucifer... toi aussi, tu veux une caresse, Mélusine ? Doucement Trompe-la-Mort...

Elle regarda la mer encore, et sourit au garçon.

– C'est égal, dit-elle, tu es un malin. Attraper les poils d'un jenniken avec une tapette à souris ! Hin, hin, hin !

Ça l'amusait beaucoup. Ludo l'interrogea :

– Est-ce que ces cheveux ont un pouvoir magique ?

– Non. C'est le jenniken qui a les pouvoirs,

tant qu'il a ses cheveux. Et pour les ravoir, il te promettra monts et merveilles.

– Que faudrait-il faire pour l'obliger à tenir sa parole, madame Le Duff ?

La vieille le reluqua d'un air bizarre.

– Tiens, tu me dis « madame », à présent ? Tout à l'heure, c'était « mère Le Duff »...

– Tout à l'heure, je ne vous connaissais pas, dit Ludo.

La vieille hocha la tête ; elle réfléchissait :

– Le problème est simple, dit-elle. Tant que tu possèdes ses cheveux, il ne peut pas te nuire. Mais d'un autre côté, il n'est pas davantage en mesure d'exaucer le moindre de tes souhaits. Il ne pourrait le faire qu'en les retrouvant, et à condition que tu les lui rendes en personne. Mais à ce moment-là, il te tapera dessus ! Hin, hin, hin !

Elle éclata de rire, puis redevint sérieuse et même énigmatique.

– Si tu veux le forcer à tenir sa parole, rends-lui ses cheveux sans lui rendre.

– Hein ?

Ludo ne comprenait pas. La sorcière se leva, ne s'occupant plus de lui. Elle appela ses chats :

– Venez mes chéris. Rentrons. Le vent va se lever...

– Madame Le Duff... dit Ludo pour interroger encore la sorcière.

– Je ne te dirai rien de plus, répliqua-t-elle. Trouve un moyen si tu le peux. Il paraît que tu es malin !

Et elle rentra dans sa bicoque suivie par ses chats. Elle ricanait gaiement :

– Hin, hin, hin ! capturé avec un piège à souris ! Hin, hin, hin ! jamais vu un truc pareil ! Hin, hin, hin !

Elle referma la porte. Ludo resta seul dehors. Il regarda la mer, le vent se levait en effet, rassemblait des moutons blancs d'écume au large. Qu'est-ce que la sorcière avait voulu dire ? Y avait-il moyen de vaincre le jenniken ? Ludo se retira. Il s'arrêta en chemin pour contempler la pincée de cheveux rouges. Le vent les emmêlait. Une mouette passa en jetant un drôle de couinement, qui ressemblait au rire grincé de la sorcière. Le garçon s'immobilisa. Il regardait les cheveux emmêlés ; le rire de la mouette, c'était comme si la mère Le Duff venait de lui donner son approbation. L'enfant jeta un cri de joie et se mit à danser sur la lande :

– J'ai trouvé !

Alors il s'assit sur une pierre et se mit patiemment à nouer serré chaque cheveu. Cela fait, il reprit le chemin du hangar en chantant. Le vent qui s'était levé ridait la surface de l'eau le long des radoubs. Ludo pénétra dans le hangar. Dans sa cachette, le jenniken s'était tu. Mais dès que l'enfant eut marché près de la pierre, il donna de la voix derechef :

– Crétin ! c'est toi ! je reconnais ton pas ! Rends-moi mes cheveux !

– Je te les rendrai, l'assura Ludo en s'asseyant sur une caisse.

– Quand ? D'abord, laisse-moi sortir !

– Je te les rendrai contre un bateau neuf pour mon père, et un beau château.

Le jenniken se mit à hurler. Ludo se releva.

– Si tu cries, je m'en vais, et je te laisse tout seul.

– Non ! Arrête crétin !

– Je reste si tu te tais.

– Attends !

– Je veux un bateau neuf pour mon père, le dernier modèle des chalutiers de pêche, et un beau château dans lequel tu laisseras pour moi un coffre plein d'or.

– Je ne peux pas faire ça, crétin!

– Menteur.

– Je ne peux pas faire ça tant que je n'ai pas mes cheveux. Mais si tu me libères, et si tu me les rends, j'exaucerai tes souhaits. Maintenant libère-moi crétin!

– Pas si crétin que ça, dit Ludo sans le délivrer.

– Mon pouvoir magique est dans mes cheveux, crétin! se justifia le jenniken. Mon pouvoir magique... et ma force aussi !

Il ricana. Ludo comprit que l'autre se promettait bien de lui taper dessus, dès qu'il aurait retrouvé sa chevelure.

– Je sais, dit Ludo. J'attends néanmoins ta promesse.

– Quelle promesse crétin?

– Je veux un bateau neuf pour mon père, le dernier modèle des germonniers pour la pêche au thon, et un beau château dans lequel se trouveront deux coffres pleins d'or.

– Hé ! hurla le jenniken. Tout à l'heure tu n'en demandais qu'un !

– Et ça sera trois bientôt, si tu tardes encore à accepter d'exaucer mes souhaits !

– Arrête, crétin !
– Au revoir, dit Ludo en se levant.
– Attends ! Attends, crétin !
– C'est la dernière fois que je t'avertis. Si tu cries, je m'en vais.
– Je ne crie plus. Reste !
Ludo se rassit sur la caisse.
– Je veux un bateau neuf pour mon père, le dernier modèle des germonniers pour la pêche au thon, et un beau château dans lequel se trouveront trois coffres pleins d'or.
– Ah ! gémit le jenniken.
– J'attends, dit Ludo.
– Bon ! D'accord ! cria le jenniken. Libère-moi et rends-moi mes cheveux !
– Je vais le faire.
Le jenniken ricana d'un air cruel :
– Tu sais que tu dois me les rendre « en personne » si tu veux que j'exauce tes souhaits, crétin ?
– Je le sais.
Ludo devinait que le jenniken cherchait à le tromper. Dès qu'il récupérerait sa chevelure, dont il avait besoin pour exaucer les souhaits, il lui taperait dessus en profitant de ses forces retrouvées CONTRE LUI, au lieu de l'en faire bénéficier.
– Alors, tu te décides ! grommela le jenniken.
Ludo vérifia :
– Quand exauceras-tu mes trois souhaits ?
– A la seconde même où j'aurai recollé mes cheveux sur ma tête ! répondit le jenniken, et il ajouta l'air cruel : mais pour que je tienne ma promesse, tu dois me les rendre en main propre !

– D'accord, dit Ludo.

Il se leva, souleva la lourde hélice de chalutier et la laissa tomber sur le ciment à côté. Puis il attira la caisse à outils. Il recula de deux pas et ne bougea plus. La pierre s'entrouvrit, la pierre s'ouvrit, mais le jenniken ne se montrait pas ; il restait pudiquement dans l'ombre de sa cachette. Il ne voulait pas se montrer sans sa chevelure. Ludo l'entendit réclamer, sans le voir :

– Où sont mes cheveux ! Donne-les-moi crétin !

Ludo les tira de sa poche, et les brandit en l'air.

– Les voici.

Le jenniken montra le bout de son nez au bord de la pierre. Il exigea :

– Descends-les plus bas crétin, comment veux-tu que je les attrape ?

– Je te rappelle, dit Ludo, que tu devras exaucer mes souhaits, dès que tu les auras recollés sur ton crâne !

– Oui ! C'est évident ! Descends-les !

– Je veux que le bateau soit au bord du quai et que le château remplace le hangar. N'oublie pas non plus mes trois coffres d'or.

– Oui, oui ! Dépêche-toi !

Ludo avait tout de même un peu peur. Si sa ruse échouait ?

– Dépêche-toi crétin ! Rends-moi mes cheveux ! brailla le jenniken.

Le risque était grand, mais il fallait prendre une décision.

– D'accord, consentit Ludo.

Et il se baissa. Aussitôt, le jenniken sortit de sa cachette en courant, mais beaucoup moins vite que lorsque Ludo l'avait rencontré, car sans ses cheveux, il n'avait en effet plus de forces. Il attrapa ses longs poils rouges et se les posa sur le crâne, où ils se recollèrent instantanément. Et sans plus attendre, il voulut saisir son bâton, mais ne réussit pas à le soulever, et il s'arrêta stupéfait :

– Hé ? fit-il. Qu'est-ce qui...

Il avait retrouvé ses cheveux mais il n'avait pas recouvré ses forces. Il ne comprenait pas. Ludo profita de son désarroi pour le capturer.

– Arrête ! Arrête crétin ! protesta le jenniken.

Mais Ludo l'avait empoigné et le soulevait de terre. Sa ruse avait réussi. Le jenniken avait retrouvé ses cheveux, mais à cause des nœuds, ni son pouvoir ni sa force. Maintenant il était à la merci du garçon.

– Arrête ! Qu'est-ce que tu fais crétin ! criait le jenniken en battant des jambes.

Il était anxieux, car il ne comprenait toujours pas ce qui lui arrivait. Ludo le lui expliqua en riant :

– Je t'ai « rendu tes cheveux sans te les rendre » !

– Hein ?

Le garçon attrapa le miroir et l'éleva face au jenniken, qui poussa un cri de rage en découvrant la supercherie :

– Ah ! crétin ! tu m'as fait des nœuds à mes cheveux !

– Oui, dit Ludo. Et je te tiens. Et si tu n'exauces pas mes souhaits, je te rase la tête complètement !

– Non, non ! pitié ! gémit le jenniken.

– Exauce mes trois souhaits !
– Oui ! Juré ! Je vais le faire !
Le jenniken cracha :
– Dès que j'aurai dénoué tous mes cheveux !
Ludo sourit. Il savait que désormais le jenniken était obligé de tenir sa promesse. Il le déposa sur le sol. Aussitôt, le jenniken se mit à dénouer ses cheveux un à un en poussant des glapissements de rage. Ludo quitta le hangar, et s'en fut au bord du quai. Quelques minutes plus tard, un fracas terrible lui fit tourner la tête : le hangar s'effondrait, poussé sur le côté par un magnifique château qui s'élevait à toute vitesse en profilant ses tours, ses tourelles, ses toitures d'ardoise élégantes. Dedans certainement se trouveraient trois caisses d'or. Alors Ludo regarda le port : au bord du bassin un groupe de pêcheurs admirait un germonnier neuf et moderne. Ludo sourit. Il pensait à la vieille Le Duff. Et il se disait qu'elle n'avait pas fini de couiner de rire, quand il irait lui raconter comment il avait dupé le vilain gnome !

Enfants, si vous rencontrez un jour un jenniken au bord de la mer, avant d'en tirer quoi que ce soit, vous devrez lui voler ses cheveux – mais je ne sais pas si l'idée de les nouer sera cette fois suffisante. Il paraît qu'il ne se laisse pas rouler deux fois de la même manière, et que pour ne pas oublier sa mésaventure, il a fait un nœud lui-même... à son mouchoir.

T'occupe!

Il était une fois une petite Concarnoise intrépide qui n'avait peur de rien. Un soir qu'elle sortait tard de sa répétition théâtrale, son sac de sport sous le bras, un chat noir traversa la ruelle devant elle. Joëlle le dépassa en chantant. Le chat se retourna :

– Et alors ? miaula-t-il. Je ne te fais pas trembler ? Tu ne sais pas que les chats noirs portent malheur ?

– T'occupe ! riposta la gamine en sautillant.

Hop, hop-là. Elle avait gardé le chapeau à plume de son personnage de théâtre sur la tête.

– Attends !

Le chat noir la rattrapa.

– Tu sais que ceux qui croisent un chat noir sont mal partis ? fit-il.

– Toi aussi, tu es mal parti, parce que si tu ne dégages pas mon chemin, je vais te marcher sur la queue.

– Arrête ! Tu ne sais pas où tu vas, malheureuse !

– Si. Je rentre chez moi. Il faut que je me hâte pour attraper le bateau du passeur.

– Oh, le passeur t'attendra ! fit le chat d'un air sûr de lui. Et c'est même pour ça que tu ferais mieux de discuter avec moi.

– Et de quoi ? riposta la fillette en continuant de sauter d'un pied sur l'autre, hop, hop-là.

– De ton âme, dit le chat. Si tu me la vends, tu ne mourras pas ce soir.

– Parce que je dois mourir ce soir ? s'étonna Joëlle sans s'arrêter pour autant.

A cause de la lumière projetée de côté par les réverbères, son ombre s'allongeait sur le mur d'une maison et la plume de son chapeau s'étirait démesurément.

– Oui, dit le chat. Tandis que si tu me vends ton âme, nous pourrions retarder la date.

– T'occupe ! répondit la fillette.

Et elle repartit en chantant. Il lui restait à arpenter la rue derrière la conserverie, et elle déboucherait sur l'embarcadère. Il ne fallait pas musarder. Il était déjà moins le quart, et le dernier passage s'effectuait à dix heures.

– Tant pis pour toi, je t'aurai prévenue, fit le chat.

La rue de la conserverie était mal éclairée par des réverbères jaunes, et elle était déserte. Joëlle s'y engagea. Deux femmes vêtues de blanc apparurent. Les bras nus, manches retroussées, elles tendaient entre elles un drap trempé et coupaient le passage. Elles se mirent à le tordre pour l'essorer. La fillette ralentit. Tout le monde savait que les apparitions de lavandières à la nuit tombante constituaient un présage macabre.

– Ah çà ! fit Joëlle. Qu'est-ce que ça veut dire ?

– Ça veut dire que je t'avais prévenue, répondit le chat noir qui l'avait suivie, et que tu ferais mieux de m'écouter.

– Pas le temps ! répliqua la gamine. Ce ne sont pas deux bonnes femmes qui m'intimideront !

Hop, hop-là ! Elle avança. Les deux lavandières se tournèrent vers elle.

– Aide-nous à tordre ce drap ! exigea l'une.

– Viens le tordre avec nous ! exigea l'autre.

Joëlle consulta sa montre.

– Bon, dit-elle en déposant son sac sur le trottoir. Je vous accorde trois minutes. Mais je vous préviens que je suis très forte au jeu de la corde à sauter. Qui est-ce qui commence ?

Les lavandières parurent embarrassées. Mais l'enfant avait attrapé le drap de la lavandière la plus dodue, et poussait celle-ci au milieu de la rue.

– Allez, tourne ! ordonna Joëlle à l'autre lavandière. Vinaigre !

Et elle fit elle-même tourner le drap à toute vitesse comme une corde à sauter.

– Hé ? qu'est-ce que... ? fit la lavandière.

Elle fut bien obligée de sauter par-dessus le drap mouillé. Hop ! Et hop ! Le drap torsadé revenait fouetter le pavé de la rue et la lavandière sautait, s'essoufflait. Au douzième coup, elle fit un écart et le linge lui battit la jambe.

– Perdu , décréta Joëlle. A toi, l'autre !

– Mais... dit l'autre lavandière.

– A toi !

La lavandière abandonna le drap à sa camarade essoufflée et se plaça au milieu de la chaussée à son tour.

– Vinaigre ! exigea Joëlle.

Elle fit tourner le drap mouillé encore plus vite que pour la première lavandière. Clac ! clac ! le drap fouettait le pavé, et hop, hop ! la sauteuse s'appliquait à bondir par-dessus. Elle était plus leste que la précédente joueuse, mais comme l'autre était fatiguée, elle manipulait la corde irrégulièrement, et soudain le drap fit trébucher la sauteuse qui s'étala par terre.

– Perdu ! s'écria Joëlle. A mon tour !

Elle se plaça au centre de la rue. La seconde lavandière se relevait péniblement.

– Alors, tu te dépêches ! l'apostropha Joëlle. Je n'ai pas tout mon temps !

– Heu... fit la première lavandière.

– Mais... commença la deuxième.

– Vinaigre ! exigea Joëlle.

Les deux lavandières tournèrent le drap, clac-clac, clac, et hop, hop, hop ! Joëlle sautait, sautait. Elle était très souple. Elle comptait en même temps :

– Un-deux-trois... vingt-vingt-et-un-vingt-deux... trente... quarante... et cinquante !

A cinquante elle sortit du jeu en s'abaissant, ramassa son sac et s'en fut sans se retourner vers le port.

– Vous avez perdu ! Vous êtes nulles !

– Hé ? disaient les lavandières dépitées.

Elles se tenaient penaudes, le drap à la main. La fillette s'éloignait. Le chat la rattrapa.

– Attends-moi !

– T'occupe !

Elle déboucha sur le quai. On voyait assez loin à gauche au bout du grand bassin les lumières de la ville et de la criée, et en face, plus près car on

se trouvait à l'entrée du port, celles des maisonnettes de la rive opposée.

– Pourvu que le passeur ne soit pas parti sans moi ! murmura Joëlle.

– Pour ça, fit le chat, tu peux être sûre qu'il t'aura attendue !

Joëlle reconnut le petit bateau accosté au plan incliné de pierre et poussa un soupir de soulagement. Mais le chat lui barra le passage résolument.

– Tu ferais mieux de m'écouter et de me vendre ton âme ! Sinon, tu ne verras pas le soleil demain matin.

– T'occupe, mon minou !

– Je t'avertis, dit le chat, que ce n'est pas le passeur habituel.

– Du moment qu'il me fait traverser, je m'en moque !

– Il risque de t'emmener bien plus loin.

– Où donc ?

– Au royaume des morts. Je te l'ai déjà dit mais tu ne m'écoutes pas.

– J'adore les voyages, mon minou.

– Tant pis pour toi, dit le chat.

La fillette descendit le plan incliné de pierre qui menait à l'eau du bassin. La mer clapotait, les lumières s'y reflétaient et dansaient comme des lucioles. Le passeur était debout à l'avant du petit bateau, à la barre, et de dos. Il était très grand, vêtu d'un duffle-coat qui lui tombait jusqu'aux bottes. Joëlle bondit joyeusement sur l'embarcation, et alla s'asseoir sur la banquette arrière, en jetant son sac de sport sur le capot du moteur devant elle. Elle était la seule passagère – à part le chat qui s'assit à côté du sac malgré son horreur de l'eau.

– Il n'est pas trop tard, miaula-t-il. Tu peux encore me vendre ton âme.

– Des clous.

Le passeur avait lancé le moteur du petit bateau. Bap-bap-bap-braaaaaaaaa... L'embarcation éclairée par ses deux fanaux d'avant comme une paire d'yeux, pivota sur bâbord et quitta la rive, contre le courant de marée. La mer charriait les algues flottantes et sentait bon. Joëlle ferma les paupières pour jouir de la caresse d'une douce brise qui soufflait du large. La traversée serait courte, moins d'une centaine de mètres...

– Est-ce que tu sais seulement où nous allons ? miaula le chat.

– Chez moi, lui répondit Joëlle.

– Non, dit le chat.

La fillette rouvrit les yeux. Le bateau s'enfonçait dans des brumes inattendues.

– Tiens, dit la gamine à voix haute, il n'y avait pas de brume tout à l'heure.

Puis elle s'aperçut qu'elle avait gardé l'argent du passage dans sa poche, avec un briquet acheté pour son père.

– Oh ! fit-elle en se levant, j'oubliais de payer !

Du coude, sans se retourner, le grand passeur lui indiqua la tablette à sa droite. Joëlle y déposa sa pièce et retourna s'asseoir. L'embarcation était emmitouflée dans des pansements de brouillard, l'on ne repérait même plus les halos de lumière du port. Une bouée tinta par bâbord.

– Tiens ? s'étonna Joëlle. La bouée ?

– D'habitude, tu ne quittes pas le port, fit remarquer le chat.

La mer dansait. Des embruns vinrent fouetter la coque et postillonner sur la vitre avant.

– Mais ? fit la fillette. Qu'est-ce que...

Pour réponse, un ricanement du passeur. Il ne se retournait même pas. Sa passagère se pencha un peu pour tâcher de voir son visage, mais à cause du capuchon rabattu, elle n'y parvint pas. En revanche, elle aperçut sa main sur la barre ! Ah ! quelle main ! une main décharnée, tout en os ! La fillette en resta saisie. Le chat miaula :

– Je t'avais prévenue. Mais il est encore temps de me vendre ton âme et de rebrousser chemin.

– T'occupe !

L'enfant était brave. Elle venait pourtant de repérer, posée debout auprès du passeur, une longue faux à lame tranchante.

– Et alors, passeur ? gouailla-t-elle. Vous allez faire la moisson ?

Ricanement du passeur en guise de réponse. Il tourna un peu la tête, et Joëlle reconnut une pommette osseuse : c'était la Mort qui pilotait le bateau...

– Zut ! fit la gamine. Il y a un os...

Et comme elle était d'un courage extraordinaire, elle haussa les épaules, et dit avec humour pour se forcer à rire :

– Il y a même plus d'un os, puisqu'il y a un squelette entier !

Et elle demanda au passeur :

– Comme ça, où comptez-vous m'emmener ?

La Mort ne lui répondit pas. Le bateau semblait perdu parmi les nuées sombres où tourbillonnaient des formes étranges. Aux sifflements des balises se mêlèrent des plaintes mornes. Et soudain des mains agrippèrent le rebord du bateau, des mains vertes et visqueuses, une dizaine de mains !

– Holà, bas les pattes ! s'écria Joëlle en ôtant son soulier gauche pour taper sur les doigts poisseux à grands coups de talon. Allez voir ailleurs si j'y suis !

Les mains lâchèrent prise et les plaintes se turent. Seule la mer battait à présent la coque du bateau. La Mort ricana mais sans se retourner. Le chat miaula :

– Tu ferais mieux de me vendre ton âme...

– Tu m'énerves minou, avec tes manies mercantiles ! répliqua Joëlle.

Braaaaaaaaa...chouac ! chouac ! Le moteur du bateau ronflait, l'embarcation allait sur la mer et heurtait les vagues parmi les volutes impalpables.

– Est-ce que tu sais où nous allons ? demanda la fillette au chat noir.

– Je ne te le révélerai pas.

– Ah oui ? fit Joëlle en l'attrapant par la peau du cou et en le soulevant. Je compte jusqu'à trois.

– Arrête ! protesta le chat.

Il battait des pattes pour griffer la fillette, mais comme elle le tenait par l'échine il ne le pouvait pas.

– A trois je te balance à l'eau, l'informa Joëlle. Un...

– Arrête !

– Deux...

– Arrête ! Nous allons au phare abandonné !

– Bien, approuva Joëlle. Et après ?

– Après, la Mort te prendra, on retrouvera ton corps près du phare, et tout le monde croira que tu t'es montrée imprudente.

Braaaaaaaa... le moteur était régulier. Les nuages commencèrent à se dissiper, et les formes qui tournoyaient autour du bateau comme des ailes fantastiques se retirèrent. Joëlle aperçut dans la pénombre le rocher noir du phare, où jamais personne n'entrait, parce qu'on le prétendait hanté.

– Bon, dit-elle au chat sans le lâcher, on va faire un tour dans ce phare tous les deux. La Mort nous attendra.

– Compte là-dessus ! ricana la Mort mais sans se retourner.

– C'est ce qu'on verra, marmonna la fillette.

Elle déposa le chat sur la banquette, et par habitude parce qu'elle aimait les animaux, elle lui caressa le poil. Le chat ronronna.

– C'est gentil de ta part, fit-il, mais tu ferais mieux de me vendre ton âme.

– Lâche-moi les baskets ! dit Joëlle.

Elle fouillait son sac, en tirait toutes sortes d'accessoires utiles au théâtre : des ciseaux, des pinces, du papier adhésif, de la ficelle, du fond de teint, un canif, un tournevis, un peigne, un tube de colle...

– Ah ! fit-elle.

C'était ce tube qu'elle cherchait. « Super-colle, disait la réclame. Colle même les individus par les semelles au plafond. » Le chat la regardait faire.

– Qu'est-ce que tu fabriques ? se renseigna-t-il.

– Si on te le demande, tu diras que tu n'en sais rien répliqua Joëlle.

Elle ouvrit le tube de colle. Le petit bateau approchait du rocher noir, où le phare se dressait comme un chandelier éteint dans la nuit. Des balises sifflaient alentour, et la mer battait les écueils. Braaaaa... bap-bap-bap... la Mort s'apprêtait à accoster. Il ne fallait plus perdre de temps. Joëlle souleva son sac et projeta de la colle sur le fond. Puis elle reposa le sac sur le capot du moteur. Le chat se grattait l'oreille en signe de perplexité. Mais la fillette n'avait pas achevé ses préparatifs; elle vida le reste de colle sur les deux poignées du sac réunies en l'air, et jeta le tube vide à la mer.

– Et voilà le travail, dit-elle en se frappant les mains.

Bap-bap... le moteur se tut. La Mort manœuvrait la barre pour amener le bateau contre le rocher par tribord. Les pneus qui protégeaient la coque amortirent le choc. La Mort se retourna en prenant sa faux. Ah ! l'horreur ! Joëlle découvrit ses orbites vides, son nez crevé, ses dents proéminentes et sa bouche ouverte grouillante de vermine.

– Ben dis donc ! fit la gamine intrépide. Tu n'as pas gagné le concours de beauté !

La Mort semblait surprise.

– Je te croyais plus âgée, fit-elle d'un air bizarre en considérant sa petite passagère.

– Sûr ! approuva Joëlle. Il y a une erreur ! (Elle recula sur la banquette.) M'est avis que tu devais plutôt embarquer un petit vieux ou une petite vieille. Tu as bâclé ton ouvrage, tu vas te faire sonner les cloches par ton patron !

La Mort ricana, haussa les épaules :

– Un passager ou l'autre, pour moi, c'est le même travail !

– Bon, fit semblant d'accepter Joëlle. Veux-tu me donner mon sac, s'il te plaît ?

La Mort attrapa les poignées du sac de la main gauche pour les tendre à sa victime. Mais le sac résista. Le fond collait au capot. La Mort crut qu'il contenait quelque objet pesant.

– Qu'est-ce que tu transportes là-dedans ? Des haltères ?

– Et alors ? rétorqua Joëlle. Tu as les bras en coton ?

La Mort serra les poignées et tira dessus. Mais le sac ne vint pas. La Mort tira plus fort, une bonne secousse, mais le sac restait soudé au capot et ce fut le capot qui trembla.

– Peuh ! railla Joëlle. Tu as des muscles en caoutchouc !

La Mort déposa sa faux contre le bastingage pour saisir les poignées du sac des deux mains. C'était ce qu'attendait la gamine. Elle se rua dans le passage entre la Mort et le bastingage, et de là sauta sur le rocher.

– Holà ! cria la Mort.

Elle essaya d'étendre un bras pour l'intercepter. Mais la colle était de qualité. Les mains squelettiques demeurèrent engluées aux poignées du sac, et le sac attaché par le fond au capot. Joëlle se retourna en riant :

– Tu vas nous attendre ici ! Le chat et moi irons faire du tourisme dans le phare.

La Mort rageait, grondait, hurlait des injures. La fillette lui tira son chapeau à plume.

– Je te salue bien, dit-elle. Tu viens, mon minou ?

Prudemment tassé sur la banquette, le chat se faufila jusqu'à la sortie pour la rejoindre.

– Tu ferais tout de même mieux, lui dit-il encore, de me vendre ton âme, parce que nul ne sait ce qui nous attend dans ce phare maudit !

La fillette l'attrapa par l'échine.

– Je ne le sais pas « encore », fit-elle, mais je ne vais pas tarder à le savoir, puisque tu vas me renseigner !

– Impossible ! miaula le chat. Interdit par le règlement ! Libère-moi !

Sur le petit bateau, la Mort gigotait des pieds et des hanches pour se détacher. Vainement. Le bateau secoué heurtait le rocher, tanguait, se balançait. Joëlle éleva le chat en l'air.

– Je recompte jusqu'à trois, menaça-t-elle. Gare à toi si tu ne m'apprends pas comment entrer dans ce phare, et comment en ressortir ! Un...

– Arrête ! implora le chat. Je te dirai ce que je sais !

Et comme la gamine l'attirait à elle et le caressait maintenant, il poursuivit en ronronnant de plaisir :

– Si tu veux entrer dans le phare, il faut trouver la pierre sensible. Mais il restera les fantômes...

– Quelle pierre sensible ?

– Je ne la connais pas. Je sais seulement qu'elle est très sensible, et que l'édifice n'aime pas qu'on la touche...

– Bonne idée ! fit Joëlle.

Elle déposa le chat à terre et gravit les marches taillées dans le roc. La haute silhouette du phare était impressionnante au-dessus d'elle. Le chat la suivit. Au fur et à mesure qu'ils approchaient de la porte, des voix se faisaient entendre, qui gloussaient et criaient de plus en plus fort. Joëlle releva la tête vers le phare.

– Tu causes, tu causes, c'est tout ce que tu sais faire ! lança-t-elle.

Elle eut le don de le vexer. Les voix se turent.

– Tu ferais mieux... miaula le chat...

La fillette retournée vérifia que la Mort restait prisonnière de son sac, et entreprit de contourner le phare en tâtant les pierres de sa base une à une. Soudain, elle entendit :

– Hi, hi, hi !

Le phare riait. L'enfant s'arrêta. Elle venait de toucher une pierre, et recommença pour vérifier.

– Hi, hi, hi ! s'esclaffa le phare. Arrête ! Hi, hi, hi !

Alors, pour le plaisir, elle le chatouilla et le grattouilla de toutes ses forces, et le phare éclata d'un rire tonitruant :

– Hi, hi, hi, ha, ha, ha, ho, ho ! Arrête ! Hi, hi, hi !

Il souffrait de rire. La fillette se retint, attendit, et donna un coup de pied, du pointu, à la pierre sensible. Le phare protesta douloureusement :

– Aïe ! Arrête ! Ne fais pas ça ! Aïe !

– Je vais le faire, dit Joëlle en recommençant, si tu ne me dévoiles pas ton secret !

– Aïe ! Aïe ! Ouille ! Arrête ! Ça fait mal !

– J'écoute, fit Joëlle en donnant à la pierre un grand coup de pied – qui d'ailleurs lui fit mal aussi à l'orteil.

– Aïïïïïe ! Ouiiiiiille ! hurla le phare.

Puis il lâcha d'un trait, tout essoufflé :

Le trésor est tout en haut !
En bas, cherche le bon mot !
La main t'attend au premier !
Puis les gros rats par milliers !
Les fantômes parleront
Juste au-dessous du plafond !

– Qu'est-ce que c'est que ce charabia ? fit la fillette interloquée.

– Je n'en sais pas plus, je te le jure ! cria le phare.

– Et toi ? demanda la fillette au chat.

Il recula en miaulant :

– Moi non plus et je pense que tu ferais mieux...

– Taratata ! D'abord, quel mot faut-il chercher ?

– Sans doute un mot de passe, réfléchit le chat en se grattant l'oreille avec sa patte.

– Quel est le mot de passe ? interrogea Joëlle en donnant à la pierre sensible un bon coup de savate.

– Aïïïïïe ! Arrête ! Je ne le connais pas ! hurla le phare. Personne ne l'a jamais trouvé !

L'enfant lui refila une série de coups de pied.

– Aïïïïïe ! Ouiiiiiille ! Arrête ! C'est une énigme ! Je n'en sais pas davantage !

– D'accord, admit Joëlle.

Elle regarda le chat, mais il secouait la tête en signe d'ignorance. Dans le bateau, lassée, la Mort avait cessé de gigoter et s'était assise sur la banquette, mains collées aux poignées du sac.

– Hé ! la Mort ! l'apostropha Joëlle. Est-ce que tu connais le mot de passe ?

– Va te faire voir ! riposta la Mort furieuse.

Mais comme elle avait les mains entravées, elle ne pouvait pas doubler l'injure d'un bras d'honneur. La gamine fit demi-tour vers la porte du phare.

– Entrons ! dit-elle bravement. Et nous aviserons !

Lorsqu'elle eut touché la porte, celle-ci résista et demanda :

– Donne-moi une pièce.

– Hein ?

– Donne-moi une pièce.

En même temps, une fente s'était ouverte à hauteur du visage de la fillette. Joëlle prit une pièce dans sa poche et la fit tomber dans la fente. La porte demanda :

– Qui dois-je annoncer ?

– T'occupe !

La porte annonça :

– Mademoiselle de T'occupe !

Elle s'ouvrit en grinçant. Joëlle pénétra prudemment dans une pièce ronde où l'on ne voyait goutte. Elle prit le briquet de son père dans sa poche et l'enflamma, du pouce. La pièce était vide à part un escalier de bois qui s'élevait le long du mur circulaire. L'enfant entreprit de le gravir, le chat derrière elle. Une trappe empêchait l'accès à l'étage. Impossible de la soulever.

– Tu ferais mieux de... miaula le chat, derechef.

– La ferme ! dit Joëlle.

Avec son briquet, elle éclairait la trappe. Elle y découvrit l'inscription suivante : *« Est-ce assez acheté ? »* Ça devait être l'énigme.

– Est-ce assez acheté ! Est-ce assez acheté ? se répétait la gamine. Est-ce assez acheté ? Est-ce assez acheté ?

Elle ne comprenait pas. Elle fermait les yeux, murmurait :

– Est-ce assez acheté ? Est-ce assez...

Soudain, son visage rayonna. Mais oui ! Elle avait trouvé ! C'était le mot de passe ! Le chat la dévisageait d'un air perplexe.

– Je ne vois pas ce qui te réjouit, dit-il, à moisir dans ce phare maudit, et tu ferais mieux...

– T'occupe ! J'ai découvert le mot de passe !

– Quel mot ?

– Réfléchis mon minou ! Est-ce assez acheté ? Épelle !

– Quoi ?

– Est-ce assez acheté ? S-A-C-H-E-T ! Le mot de passe est sachet ! Sachet !

La trappe du plafond s'ouvrit toute seule en grinçant.

– Qu'est-ce que je disais ! triompha Joëlle.

Elle escalada l'escalier de bois, et parvint dans la seconde salle meublée d'un haut lit à baldaquin aux rideaux clos. Le chat arriva à son tour.

– J'avoue que tu m'épates, dit-il. Et maintenant, que ferons-nous ?

– Silence ! dit Joëlle. Le phare a parlé d'une main et...

Un craquement ! Le lit bougeait, les rideaux s'écartèrent, laissèrent passer une main énorme aussi grosse qu'un buffet ! Les doigts étaient de chair et s'aventuraient en rampant vers Joëlle. La fillette reflua.

– Pas envie de serrer cette main-là ! fit-elle.

La main écartait ses doigts, ouvrait la paume, et se rapprochait de la gamine. Le chat voulut s'éclipser, mais l'enfant le captura et se le cala sous le bras gauche. La main épouvantable s'apprêtait à saisir sa proie et barrait l'accès à l'escalier tournant vers le deuxième étage.

– Oh ! idée ! s'écria Joëlle.

Elle attrapa son chapeau de théâtre, et se mit à chatouiller la paume de la main avec la longue plume.

– Hi, hi, hi, ha, ha !

Le phare riait encore. La main se rétracta comme une corne d'escargot et se réfugia dans le grand lit. Joëlle courut à l'escalier et le grimpa quatre à quatre. La main riait encore au premier étage lorsqu'elle déboucha sur le plancher du deuxième, son briquet au poing et son chat sous le bras. L'enfant entendait des grattements, des couinements, sans rien voir, mais le sol bougeait autour d'elle. L'affreuse vérité éclata brusquement : des milliers de rats grouillaient les uns sur les autres comme les abeilles d'un essaim. Les yeux minuscules comme des perles la dévisageaient méchamment.

– A moi le chat ! s'écria Joëlle écœurée en jetant le chat noir dans la multitude.

Le chat n'était pas ordinaire, et de ce fait, il ne se serait sans doute pas abaissé à chasser les rongeurs. Mais comme ils lui grimpaient dessus sans le moindre respect, il choisit de montrer sa force. En quelques secondes, il fit un carnage. Les rats déchirés par ses griffes étaient expédiés de tous les côtés. La bande préféra disparaître dans les trous du parquet et des pierres. Une minute plus tard ne restaient dans la pièce qu'une centaine de rats crevés ou agonisants, et le chat aussi fier qu'un paon.

– Et voilà le travail ! miaula-t-il.

– Chapeau, mon minou ! dit Joëlle.

Le chat se rengorgeait :

– C'est un jeu pour moi, fit-il d'un air fanfaron. Mais toi, tu ferais mieux de...

L'enfant montait déjà l'escalier vers l'étage supérieur. C'était celui des fantômes. Dès que l'intrépide aventurière eut posé le pied sur le plancher, des mots se firent entendre, des phrases dans toutes les langues, des chansons aussi, et des choses bizarres effleurèrent sa tête. En même temps, ses paupières s'alourdissaient. Les mots essayaient de l'endormir. A la lueur du briquet, elle constata qu'il s'agissait de feuillets de papier : ils battaient des pages, et se récitaient à voix haute les messages qu'ils portaient. Ils volaient partout comme des chauves-souris, et sournoisement, peu à peu, la poussaient au sommeil. Il ne fallait pas céder surtout ! Secouant son engourdissement, la fillette se redressa. De son briquet, elle enflamma la feuille la plus proche, qui tomba en vrille en se consumant : chuiiii. Au passage, elle avait communiqué l'incendie à trois autres, qui le transmirent à leur tour. Chuiii... chuiiii... Les fantômes de papier brûlaient en l'air, illuminaient la pièce, et l'enfant retrouvait son entrain et ses forces...

– Là ! s'écria-t-elle.

Par terre, il y avait un sachet. Elle le ramassa et l'ouvrit : il contenait une clé. Joëlle gravit le dernier escalier, le chat sur ses talons. Ils arrivèrent sur la plate-forme d'observation du phare. Autour d'eux s'étendait la mer, noire et clapotante ; on apercevait au loin des feux rythmés de la côte. En bas, l'écume blanche ourlait les rochers qu'elle battait. Joëlle devina la présence du petit bateau du passeur.

– Et maintenant, demanda le chat, que faisons-nous ?

Joëlle examinait la grosse lanterne de verre dépoli qui ne servait plus à rien, puisque le phare était abandonné. Elle introduisit la petite clé trouvée dans la serrure, et ouvrit la lanterne. Elle resta extasiée devant un diamant étincelant aussi gros qu'un pamplemousse. L'enfant allongea la main pour le prendre.

– Non ! protesta le phare avec angoisse. Non ! ne touche pas au diamant !

– Que si ! s'exclama Joëlle, et elle s'en empara.

– Ah !

Le phare poussa un cri, suivi d'un grondement terrible. La plate-forme bougea. Le phare tout entier tremblait, ses pierres s'entrechoquaient.

– M'est avis, miaula le chat, qu'il vaudrait mieux redescendre, parce qu'il va y avoir du grabuge !

– Pour une fois minou, tu as raison ! approuva Joëlle.

Elle cacha le diamant sous son tee-shirt et dévala les escaliers. Autour d'elle et du chat, les murailles arrondies branlaient, grondaient. Devant eux les fantômes et les rats fuyaient également, et même la formidable main galopait sur ses quatre doigts agiles, le pouce en arrière servant de balancier. Tout le monde dégringola au pied de l'édifice en tintamarre. Les rats franchirent la porte en couinant. La main eut plus de difficulté à s'y faufiler de travers comme un crabe. Elle se précipita dans les flots noirs et s'y enfonça, disparut. Les fantômes murmurants s'envolaient. Joëlle sauta de rocher en rocher jusque sur le pont du petit bateau. Le chat l'accompagnait. Derrière eux, la tour vacillait, et les rats réfugiés sur l'île noire couinaient de toutes leurs forces.

– Le phare va s'écrouler ! s'écria le chat.

– Tu l'as dit mon minou ! répliqua Joëlle.

– Qu'est-ce que vous avez encore fait comme idiotie ! grogna la Mort.

Elle était toujours collée au capot du moteur par les mains tendues, et s'était soulevée à l'arrivée des passagers.

– T'occupe ! lui lança la fillette. Comment met-on le bateau en marche ?

– Tire la bobinette et la chevillette cherra ! rétorqua la Mort avec une évidente mauvaise volonté.

– C'est malin ! apprécia Joëlle.

La tour grelottait ! Des pierres détachées du sommet tombaient sur les rochers, éclataient et rebondissaient, affolaient les rats grouillants.

– Tire le bouton rouge ! conseilla le chat noir. J'ai vu que c'était le démarreur !

La Mort protesta. La fillette tira le bouton rouge et le moteur se mit en marche. Bap-bap-bap...

– Abaisse la manette ! conseilla encore le chat noir.

Braaaaaaaaa ! Le moteur était lancé. Le bateau

s'écarta du rivage. La fillette avait pris la barre et le pilotait. Un fracas la fit se retourner : le phare s'éventrait sur toute sa hauteur. Les pierres descellées pleuvaient avec un bruit assourdissant sur les rochers noirs. En quelques secondes, ce qui restait pencha, perdit l'équilibre et tout s'effondra dans la mer. Braouff ! Les flots dansèrent ! Un épais nuage de poussière flottait par-dessus, tandis que la mer engloutissait sa proie, submergeait le rocher maudit, et noyait les rats écrasés. Le bateau gagna le large en cahotant sous les vagues brutales. Joëlle tâta le diamant sous son tee-shirt.

– Maintenant, direction le port ! annonça-t-elle.

Braaaaaaaaa... Le moteur ronflait. La Mort donnait l'impression de couver le sac. De temps en temps, elle cherchait encore à s'en détacher, et donnait une forte secousse inutile. Elle râlait et pestait. Elle s'adressa au chat :

– Toi, le chat noir, gare à tes puces !

– D'abord, je n'en ai pas, lui répondit le chat vexé.

– Donne-moi ma faux que je taille cette saleté de colle !

– Je ne peux pas, miaula le chat.

Le bateau naviguait. Les nuées de vapeur l'enveloppaient comme à l'aller, et dans les miasmes obscurs volaient des monstres inqualifiables. Joëlle se retourna.

– Hé, la Mort, si je te laisse partir, qu'est-ce que tu me donneras ?

– Rien, dit la Mort. Je n'ai pas le pouvoir de faire des cadeaux.

– A mon avis, dit le chat, tu ferais mieux de...

– T'occupe, dit Joëlle.

Elle pilotait le bateau droit devant elle. Les embruns éclaboussaient le pare-brise et la coque dans le brouillard.

– Je ne peux pas te laisser partir, expliqua l'enfant à la Mort, parce que si je le fais, tu reviendras.

– Ah non ! s'écria la Mort. Pas envie de te revoir de sitôt !

– Quand alors ? demanda Joëlle.

On sortait des troubles, et, là-bas, les lumières du port dessinaient des lignes un peu floues. Des scintillements et parfois des éclats plus vifs signalaient l'entrée du bassin. On entendait tinter les bouées. Joëlle se retourna encore.

– Hé, la Mort ? Si je te libère, quand reviendras-tu ?

La Mort réfléchissait. Elle dit :

– Cent ans. Est-ce que ça te convient ?

Joëlle ralentit le moteur de l'embarcation. Braaaaa-bap-bap-bap... Elle calculait que cent ans ajoutés aux années qu'elle avait déjà, ça ferait... une bonne affaire !

– Oui ! dit-elle. Ça me convient.

Elle manœuvra et amena son bateau dans le bassin. L'eau y était calme, la température adoucie. L'air était chargé d'odeurs d'iode et d'algues flottantes. L'embarcation vira par le tribord contre le courant de marée. Joëlle coupa le contact. Bap-bap... La coque protégée par ses pneus heurta le plan incliné de pierre qui montait au quai. Joëlle s'apprêtait à quitter le bord.

– Et moi ! revendiqua la Mort. Tu ne vas pas me laisser là !

La fillette ramassa la longue faux de la Mort et l'appuya contre le coffrage du moteur, le fer en l'air. Le manche était calé par le bastingage.

– Libère-moi ! exigea la Mort.

Elle était horrible et grotesque, et se trémoussait de rage.

– Je te laisse ta faux, expliqua Joëlle. Débrouille-toi pour trancher la colle avec, mais je t'avertis que, dans dix minutes, je serai de retour avec beaucoup de monde.

– Non ! Attends !

– Au revoir, et tiens ta promesse ! Que je ne te revoie que dans cent ans !

Joëlle gravit la cale de pierre vers le quai. Au-delà de la placette éclairée par les réverbères, les maisons étaient accueillantes.

– A ta place, conseilla le chat noir à la Mort, je tâcherais de faire vite !

Il rattrapa la gamine. Il marchait à côté d'elle.

– Alors ? Tu ne veux toujours pas me vendre ton âme ?

– Non, mais je veux bien acheter la tienne.

Le chat réfléchissait tandis qu'ils traversaient la placette. Derrière, dans le bateau du passeur, la Mort tranchait fébrilement la colle qui la retenait prisonnière. Elle était maladroite et jurait. Le chat demanda :

– Combien me la paies-tu ?

– Un toit, des bonnes pâtées, un coussin moelleux, des caresses, répondit Joëlle. Si cela te convient, je te garde.

Le chat calcula que ces bons traitements valaient bien les coups de pied au cul et les coups de fourche, dont les diables le gratifiaient d'habitude.

– C'est d'accord, j'accepte, dit-il.

La fillette rentra chez elle avec lui. Quelques minutes plus tard, les portes des maisons s'ouvrirent autour de la placette. Des gens ameutés par les parents de Joëlle sortaient munis de lanternes et de lampes de poche. Une foule curieuse et bruyante se dirigea vers le quai. La Mort, affolée, achevait de trancher la colle. Elle enjamba précipitamment le bastingage, sa faux serrée contre elle, et s'enfuit en courant sur l'eau, se fondit dans la nuit.

Quand la foule arriva, le petit bateau dérivait le long du quai. Des marins sautèrent dedans. On retrouva le sac collé au couvercle. On examina les poignées tranchées. En coupant la colle, la Mort s'était sectionné deux phalangettes qui y adhéraient encore. Tout le monde admirait le prodige. Oui, vraiment, Joëlle pouvait se vanter d'avoir été cette nuit *« à deux doigts »* de mourir !

La bombarde d'or

Un après-midi, Milig s'endormit au soleil dans le jardin public au-dessus de la plage. Il fut réveillé par un petit bruit sec, et ouvrit un œil sans bouger. Crac. Et re-crac. Le bruit persistait. Milig ouvrit le second œil. L'après-midi était bien entamé à présent, le soleil baissait à l'horizon au-dessus du phare qui se dressait fièrement sur la petite île de La Pointe. Les baigneurs avaient quitté la plage. Crac. Et re-crac. Qu'est-ce qui cra-craquait?

Sans tourner la tête, Milig fit pivoter ses yeux. Et alors il vit des petits morceaux d'écorce tomber de la fourche des branches d'un gros châtaignier. Crac. Et re-crac. Milig se redressa en appui sur les coudes et rampa vers l'arbre. Il avait poussé de travers à cause du vent du large toujours à l'assaut du rivage, et des lichens orangés ornaient le tronc du côté de la mer. Milig restait silencieux. Il espérait surprendre un écureuil, et colla son oreille à l'écorce. Quelle surprise d'entendre une voix bougonne à travers :

– Coquille de bernique, ils ne la trouveront jamais là ! Ils ne sont pas assez malins !

Qui parlait ? La voix semblait celle d'un enfant, mais elle était en même temps rugueuse comme celle d'un homme de mauvaise humeur. Milig inspecta le tronc de l'arbre en silence, cherchant un trou. Il n'en découvrit pas. Les craquements continuaient. Crac. Et re-crac. Ils paraissaient se déplacer à l'intérieur de l'arbre, montaient vers la fourche des branches. Vite, Milig se jeta à plat ventre derrière un énorme rocher, et ne bougea plus. Il retenait son souffle, attentif aux grattements et aux craquements. Soudain, une tache rouge décora le sommet du tronc du châtaignier à la naissance des branches. C'était le bonnet de laine d'un minuscule personnage à la longue barbe blanche, dont la tête surgit en périscope de sous-marin, et tourna sur elle-même afin d'observer les abords. Milig s'aplatit derrière le rocher. La tête pivotait au sommet du tronc creux. Ayant accompli deux girations, elle se souleva, comme si le petit homme était rassuré par son inspection. Des menottes agrippèrent le rebord de l'écorce, le corps se montra au-dessus de la fourche des branches. Le petit personnage n'était pas plus haut qu'un goéland ; il était vêtu de rouge de la tête aux pieds.

« Un korrigan! » se chuchota Milig.

Le korrigan était muni d'une serpette, avec laquelle il acheva de tailler le rebord de l'arbre en forme de siège pour s'asseoir. Il regarda la plage et la mer un moment. L'eau revenait, mais le sable entre la petite île et la côte était encore à sec. Bientôt, le passage serait inondé. Le nain avait la mine renfrognée, et grognait dans sa barbe :

– Coquille de bernique, ils ne la trouveront jamais là !

Alors, il glissa la serpette à sa ceinture, s'accrocha des deux menottes à une branche, et profitant de la flexibilité de celle-ci, descendit rapidement jusqu'à terre. Et hop ! il lâcha la branche inclinée et se laissa choir dans l'herbe. Il s'immobilisa, en alerte, la tête pivotant comme le girophare d'une voiture de police.

– Ils ne la trouveront pas, coquille de bernique ! répétait-il. Ils ne la trouveront pas !

Milig n'osait plus respirer. Le petit korrigan tira de sa poche une craie blanche, et vint marquer d'une croix le tronc du châtaignier. Puis il enfonça la craie dans sa poche en tournant les talons vers le sentier qui descendait à la plage entre les rochers. Il grommelait encore :

– Ça non ! Ils ne la trouveront pas, coquille de bernique !

De quoi parlait-il ? Milig attendit un moment pour relever la tête. Puis il se souleva en appui sur les coudes. Le korrigan traversait la plage vers la petite île. Le garçon le perdit de vue. Des fous de Bassan occupaient le ciel crépusculaire. Alors Milig se leva. L'après-midi s'estompait, l'ombre des châtaigniers et des pins s'étirait sur les fougères ; le soleil couchant incendiait la mer de couleurs dorées. Prudemment, Milig regarda autour de lui. Personne. Il s'approcha du gros châtaignier marqué d'une croix blanche, en fit le tour, tâta le tronc des deux mains. Il y donna de petits coups de doigts pour l'entendre résonner : aucun doute, le tronc était creux. Milig recula, vérifia que personne ne pouvait le regarder faire, et courut escalader un talus où une branche de l'arbre tordue par les vents abaissait son feuillage.

Il n'hésita pas, se jeta sur la branche, s'y suspendit, balancé. Il se replia, croisa ses jambes sur les ramifications embaumées, et se mit à grimper vers la base de la branche, où il arriva bientôt parce qu'il était agile comme un chat. Il se rétablit à califourchon sur la fourche. Il se trouvait ainsi à plus de deux mètres au-dessus du sol. Il n'était pas tranquille. Si le korrigan revenait ?

Il laissa s'écouler quelques minutes, s'efforçant de scruter la plage en contrebas, les rochers assombris, et même la petite île au phare que l'eau encerclait peu à peu. Rien ne bougeait. Personne. Ni humain, ni korrigan.

Milig rassuré se pencha pour examiner le creux de l'arbre. On avait taillé dans le bois des petites marches en colimaçon. Les dernières étaient neuves, les autres plus anciennes, preuve que le korrigan venait d'achever aujourd'hui un travail entrepris de longue date. C'était le bruit de la serpette entaillant le bois du châtaignier, qui avait réveillé l'enfant. Les marches descendaient au fond du tronc obscur. Hop ! Milig enjamba le rebord, et posa le pied sur la première marche. Un dernier regard alentour : personne. Milig posa le second pied sur la deuxième marche, et advienne que pourra, descendit l'escalier en colimaçon.

Une chose étrange arrivait. C'était que, dehors, le tronc ne mesurait guère plus de deux mètres de hauteur, alors que dedans, l'escalier tournait et tournait, s'enfonçait en terre et dans la roche comme un puits. Bientôt, aux marches de bois, succédèrent des marches de pierre. En levant la tête, Milig voyait le ciel là-haut comme un trou rond de couleur bleu-mauve.

– Tout cela est bizarre ! murmura Milig pour s'encourager lui-même.

Mais comme il était encore plus curieux qu'intrépide, il continua la descente. Le puits s'enfonçait dans la terre. Au-dessus de l'enfant, le rond de ciel était de plus en plus petit et lointain. Le fond du trou aurait dû être obscur. Pourtant, Milig voyait de mieux en mieux. Bizarre. Et plus bizarre encore, le puits n'avait pas d'issue. Le garçon tourna sur lui-même plusieurs fois, entouré de pierre de toutes parts.

– Par saint Patrick ! fit Milig. Je me demande d'où pouvait venir le petit père korrigan !

Il en était là de ses réflexions, lorsqu'il remarqua une croix tracée à la craie sur une pierre de la paroi, à peu près à hauteur de ses genoux. Tout de suite, il se souvint de la croix que le korrigan avait laissée sur le tronc du châtaignier creux. Il se baissa, posa la main sur la pierre. Aussitôt, celle-ci bascula, et devant les yeux ébahis du gamin, la paroi s'ouvrit sur une galerie basse, dont le plafond se situait à peu près à hauteur de son ventre.

– Ça alors ! s'écria Milig.

Le passage était évidemment adapté à la taille du père korrigan. Milig se mit à quatre pattes pour y entrer. La galerie s'enfonçait en terre, on voyait une lueur au loin. Peu à peu d'ailleurs, les yeux de garçon s'habituaient, repéraient les détails du sol et des parois du boyau.

– Hou ! fit l'enfant avec appréhension. Je me demande s'il est bien prudent de s'aventurer là-dedans ?

Il avait peur de rester coincé dans un labyrinthe, mais il estima que puisque le korrigan était arrivé par ce chemin, il devait bien mener quelque part. Il progressa donc à quatre pattes. La petite lueur au bout du souterrain l'attirait.

– Qu'est-ce qui brille là-bas ? disait-il. La sortie, peut-être ?

Il se trompait. En avançant, il put observer que la lueur était d'un beau jaune qui devenait de plus en plus ardent, et qui scintillait même. Il imagina un feu. Mais il se trompait encore. Il s'en rendit compte en débouchant dans une large et haute grotte de pierre, où aboutissaient trois autres galeries. Cette grotte était illuminée, sans que Milig pût repérer d'où venait cette vive lumière. Il entendait battre la mer comme un cœur gigantesque. Sans doute était-elle proche. L'enfant calcula qu'il devait se trouver sous le passage entre la plage et l'île, peut-être même déjà sous l'île.

« Bizarre ! » se murmura-t-il intrigué.

Il marchait sur la pointe des pieds, le corps penché en avant. Maintenant, pourtant, il aurait pu se tenir debout, le plafond de la caverne étant haut au-dessus de sa tête. La clarté provenait de derrière un coude de rochers. Milig s'en rapprocha, rasant la paroi. Il atteignait l'angle rocheux, lorsqu'une voix retentit. L'enfant sursauta, laissant échapper un petit cri :

– Ah !

Il s'était immobilisé, paralysé par l'émotion.

La voix se fit de nouveau entendre ; métallique et mécanique, elle détachait les mots comme ceci :

– Si-c'est-toi-qui-reviens-Maître, donne-moi-le-mot-de-passe !

Le ton était monocorde, un peu musical. Milig ne bougea pas plus qu'une statue. La voix répéta, elle venait de derrière la paroi de pierre.

– Si-c'est-toi-qui-reviens-Maître, donne-moi-le-mot-de-passe !

Le mot de passe ? Quel mot de passe ? Qui est-ce qui parlait ? L'enfant était-il repéré ? Le cœur battant, il allongea la jambe en direction de l'angle rocheux pour tâcher de surprendre le parleur.

– Maître, insista la voix. Donne-moi-le-mot-de-passe !

La curiosité était trop forte. Milig avança la tête et risqua un œil et le nez derrière la paroi de pierre de la caverne. Ce qu'il vit lui fit arrondir la bouche grande ouverte, comme pour avaler une balle de ping-pong.

– Oh !

Une bombarde d'or était posée à plat sur une table de bois. Elle resplendissait autant que le soleil. C'était elle qui illuminait la caverne, et c'était également elle qui parlait. L'instrument merveilleux déclara de sa voix mécanique :

– Bonjour-Maître ! donne-moi-le-mot-de-passe-Maître. Donne-moi-le-mot-de-passe-ou-je-chante-pour-alerter-les-korrigans-de-l'île !

Milig était seul. Il comprit, ayant lorgné partout, que c'était à lui que s'adressait la bombarde d'or. Mais il ne connaissait pas de mot de passe. Et il devinait que si l'instrument fantastique se mettait à chanter pour donner l'alarme, une foule de korrigans déboucherait bientôt dans la caverne par les souterrains. Alors, pris de frayeur, le garçon fit demi-tour pour s'enfuir. La bombarde répéta :

– Maître! Donne-moi-le-mot-de-passe-ou-je-crie ! Le-mot-de-passe !

Milig s'affolait. Soudain, il se remémora les paroles grommelées par le korrigan : « coquille de bernique ». Et si c'était le mot de passe ? Milig lança :

– Coquille de bernique, laisse-moi tranquille, instrument de malheur !

La voix répliqua, en chuchotant au lieu de chanter l'alerte :

– Bonjour-Maître ! Que-demandes-tu,-Maître ? Dis-le-moi.

Milig hésita. La bombarde était sur la table et répétait d'une voix aimable et mélodieuse :

– Bonjour-Maître ! Que demandes-tu ?

– Heu, fit Milig. Je ne sais pas. Heu. Bonjour...

– Bonjour-Maître ! Que demandes-tu ?

Il fallait demander quelque chose, ne fut-ce que pour apaiser la bombarde. Rempli d'appréhension, Milig observait le débouché des souterrains, mais heureusement, nul korrigan ne venait.

– Qui es-tu ? interrogea Milig.

– Je-suis-la-bombarde-d'or-des-korrigans ! répondit la bombarde. Je-peux-exaucer-tous-tes-souhaits -Maître.

– Bravo, approuva Milig.

La bombarde récita sa litanie :

– Bonjour-Maître ! Que-demandes-tu -Maître ?

– Eh bien ! réfléchit Milig qui ne savait vraiment pas quoi dire en ce moment et dans cette caverne, peux-tu me révéler quand les korrigans reviendront ?

– Pas-avant-la-nuit-Maître, répondit la bombarde d'or de sa voix chantante. Que-demandes-tu ?

– Heu. Quelle heure est-il ?

– Je-ne-la-connais-pas-Maître ! Que demandes-tu ?

Milig soupira. Cette bombarde d'or était aussi sotte qu'un ordinateur. Il haussa les épaules.

– Je te demande l'heure, et tu n'es pas capable de la donner. A moins que...

Il réfléchissait que la bombarde magique ne pouvait donner que des choses matérielles sans doute. Des objets. Il répéta donc le mot de passe, par acquit de conscience, et réclama :

– Coquille de bernique, j'aimerais bien avoir une montre en or !

Il poussa une exclamation en sentant qu'on lui attrapait le poignet. Il avait cru être capturé par un korrigan, alors qu'une belle montre en or s'enroulait à son poignet gauche. L'enfant la contempla.

– Formidable !

N'empêche qu'il était déjà 19 h 10. Milig fronça les sourcils.

– Je vais me faire tirer les oreilles ! Il faut que je m'en aille !

– Que-demandes-tu -Maître ?

– Rien. Non... Attends !

L'enfant réfléchissait. Un bombarde pareille était sûrement rare. Unique même. Mais s'il y touchait, elle crierait sans doute, et ameuterait les korrigans. Que faire ?

– Coquille de bernique, donne-moi donc un sac en plastique !

Voilà le sac en plastique soudain dans ses mains ! Alors Milig bondit sur la bombarde d'or, la jette dans son sac, l'y enveloppe en quatre épaisseurs. La bombarde criait, mais le plastique étouffait partiellement sa voix.

– Bonjour-Maître ! Que demandes...

Milig s'enfuit à longues enjambées, la bombarde sous le bras, par où il était arrivé. Il consulta sa montre : il était 19 h 22 ! Le bruit du ressac continuait de battre les parois de la caverne...

– Bonjour-Maître ! Que-demandes-tu-maître ?

– Tais-toi ! riposta Milig en courant.

Derrière lui, des voix encore lointaines commençaient à résonner dans les souterrains. L'enfant se retourna sans s'arrêter, aperçut des lueurs et des ombres : c'étaient les korrigans de l'île munis de torches enflammées qui revenaient vers la grande caverne.

– Bonjour-maître ! -Donne-moi-le-mot-de-passe-ou-j'alerte-les-korrigans ! chanta la bombarde à travers les quatre épaisseurs de plastique.

– Tais-toi, imbécile ! répliqua Milig.

Sans ralentir, il fourra la bombarde sous son pull-over pour étouffer un peu plus le son de sa voix. Il accéléra. Il prit son élan vers la galerie basse qui menait au-dehors par le châtaignier creux. Cependant, les korrigans se regroupaient dans la vaste caverne, et comme la bombarde d'or n'y était plus, et n'éclairait plus les parois, ils se cognaient partout, se rentraient dedans. Ils appelaient :

– Bombarde d'or ! Bombarde d'or ! Où es-tu, coquille de bernique !

– Ici-Maître ! Bonjour-Maître ! répondait la bombarde d'or calée contre le ventre du garçon en fuite.

Elle brillait de mille feux malgré l'emballage et le pull-over qui la recouvraient. Les korrigans poussèrent une clameur de colère :

– Là-bas ! regardez ! La lumière ! C'est la bom-

barde d'or ! Un voleur emporte la bombarde d'or ! Poursuivons-le ! Vite !

En hurlant, les korrigans équipés de torches enflammées s'élancèrent aux trousses du garçon qui ne s'attarda pas. Il venait d'accéder à la partie de galerie voûtée très bas, et s'y coula le plus tôt possible à quatre pattes. Il entendait les korrigans trotter derrière lui par-dessus le bruit maintenant assourdi de la mer, et il tremblait de peur.

– Bonjour-Maître ! Donne-moi-le-mot-de-passe ! répétait la bombarde d'or inlassablement.

Milig aurait bien aimé lui réclamer une fusée pour décamper, mais, dans ce boyau exigu, elle n'aurait guère été utile. Il se contenta donc de bondir et plonger en avant jusqu'à heurter la paroi du puits... refermée !

– Ah ! s'écria l'enfant.

Dans son dos, les ombres des korrigans qui (en raison de leur petite taille) pouvaient courir dans le souterrain, s'étiraient monstrueusement sur les parois. Milig chercha la croix de craie sur la pierre. Il toucha la pierre, la fit basculer. Il était temps ! Le garçon sauta dans l'ouverture au moment où les korrigans le repéraient.

– Là-bas ! Le voleur ! Attrapez-le !

Par chance, la paroi se referma derrière Milig, ce qui lui donna l'avance nécessaire pour escalader l'escalier en colimaçon vers le haut du tronc creux. Il sauta par-dessus bord et s'enfuit à travers le jardin désert. Il faisait nuit noire. Milig ne voyait plus ni l'île ni la plage, mais les devinait au fracas lancinant de la mer revenue. Il atteignait la grille du jardin côtier, quand il entendit les cris de la horde des petits personnages hors du châtaignier. C'était leur tour d'être désavantagés.

Incapables de sauter à terre, ils devaient se suspendre aux branches souples, s'y laisser glisser agrippés aux ramifications. Le garçon en profita pour se faufiler à travers les grilles et courir vers le port désert.

Il longea le quai sans ralentir, franchit la passerelle de l'écluse vers le groupe des immeubles neufs du front de mer. Il poussa la porte d'entrée du troisième. Un coup d'œil furtif derrière lui le rassura : personne. Milig s'élança dans les escaliers vers l'appartement de ses parents au quatrième étage.

– Bonjour-Maître ! Que-demandes-tu -Maître ?

Encore cette satanée bombarde ! Elle brillait à travers le pull-over. L'enfant s'en serait volontiers débarrassé à cette heure !

– Ah ! te voilà enfin ! Entre ! D'où viens-tu ? s'écria son père en ouvrant soudain la porte de l'appartement.

Les parents attendaient, très inquiets. Le gamin sentit venir la taloche, et recula d'un pas au lieu d'avancer.

– Je vais tout vous dire, mais vous ne me croirez pas...

– Surtout si tu mens ! dit le père.

– Qu'est-ce que tu caches sous ton pull-over ? s'écria la mère accourue au bruit des voix.

Elle attira son fils à elle. Milig sortit la bombarde empaquetée de sous son pull-over.

– Justement, promit-il, je vais vous expliquer...

Il entra. Le père referma la porte derrière la famille. L'enfant développa le sac en plastique, et posa la bombarde d'or sur la table du salon. Elle illuminait la pièce. Le père et la mère se regardèrent...

– Qu'est-ce que c'est que ça ? s'écria le père.

– Bonjour-Maître ! Que-demandes-tu, -Maître ? demanda la bombarde.

– Qu'est-ce que c'est que ça ? répéta la mère à son tour.

– La bombarde d'or des korrigans, répondit Milig.

Et il jeta sur l'instrument un gros coussin du canapé pour en atténuer l'éclat lumineux, et étouffer la voix intempestive.

– Mais... murmura le père.

L'enfant raconta son aventure souterraine entre la plage et l'île de La Pointe. Les parents éberlués se faisaient du souci.

– Les korrigans ! Ils sont très dangereux !

Le père se précipita à la fenêtre de l'appartement qui donnait sur le port, et ne put réprimer un juron. La mère et Milig le rejoignirent. Quatre étages plus bas, sur le quai, à la lueur jaune des réverbères, on voyait des petites ombres s'agiter le long des coques des chalutiers. C'étaient les korrigans à la recherche de leur bombarde. Parfois, lorsqu'ils traversaient un cercle éclairé, on distinguait la couleur de leurs habits : rouges, jaunes, bleus, verts, violets, toutes les couleurs étaient représentées. Cela signifiait que tous les korrigans de la côte avaient fait alliance.

– Ils t'ont suivi ! s'écria le père à mi-voix.

– Non, dit Milig. Mais ils me recherchent. Il ne faut pas qu'ils repèrent l'éclat de la bombarde, ni qu'ils entendent sa voix !

– Une chance que nous logions au quatrième étage ! chuchota la mère.

Elle se retourna. Malgré le gros coussin qui l'étouffait, la bombarde d'or émettait une faible lumière et demandait :

– Bonjour-Maître ! Que-demandes-tu--Maître ?

La mère courut prendre le couvre-lit dans la chambre et revint le jeter sur la bombarde magique. La lumière baissa, mais on pouvait encore entendre la voix (affaiblie) menacer :

– Donne-moi-le-mot-de-passe-ou-j'alerte-les-korrigans !

– Mieux vaudrait la jeter aux korrigans ! suggéra la mère.

– Non ! protesta Milig. Elle exauce les souhaits à condition qu'on sache le mot de passe !

– Et ce mot de passe, tu le connais ? interrogea le père.

– Oui, dit Milig. C'est « coquille de bernique ».

A ce mot, la bombarde changea de discours :

– Bonjour-Maître ! Que-demandes-tu ?

– Demande-lui si le mot de passe est valable longtemps, proposa la mère sagement.

– C'est vrai, ajouta le père. Des fois qu'il change...

– Coquille de bernique, dit Milig, quand le mot de passe doit-il changer ?

– Ce-soir-à-minuit. Il-change-tous-les-jours. Que-demandes-tu-Maître ?

Milig consulta sa belle montre en or : il était vingt et une heures pile.

– Plus que trois heures, constata-t-il, si on veut lui demander des choses.

– Quelles choses ? fit le père.

L'enfant fit admirer sa montre. Le père siffla :

– Mille sabords ! J'aimerais bien m'offrir la pareille !

– On peut demander davantage, fit remarquer Milig.

Il attrapa la corbeille à fruits, qui était d'osier tressé, la vida de ses pommes et bananes, et la déposa sur la table à côté de la bombarde.

– Coquille de bernique, ordonna-t-il, remplis cette corbeille de pièces d'or.

– A-tes-ordres-Maître ! déclara la bombarde.

La corbeille se remplit de pièces d'or. Comme l'osier était tressé très large avec des ouvertures, les pièces passaient dans les trous et tombaient sur la table et sur la moquette du salon, tandis que la corbeille se vidait. La bombarde continua donc d'en produire, et ne s'arrêta que lorsque l'or dans la pièce eut atteint le niveau du bord supérieur de la corbeille. En fait, l'or s'était répandu partout dans le salon sur près d'un mètre d'épaisseur. Les parents béaient à s'en déboîter les mâchoires à la vue du prodige. La mère joignait les mains, croyait au miracle. Elle était enfoncée dans l'or jusqu'aux hanches, et parfaitement incapable d'articuler un seul mot. Le père, à demi enseveli dans le métal précieux lui aussi murmurait sans fin :

– Mille sabords de mille sabords de mille sabords de...

– Nous voilà riches ! annonça Milig en s'extrayant du tas d'or, qui lui venait presque aux épaules.

Les pièces d'or roulaient les unes sur les autres tandis qu'il se dégageait. La mère secoua la tête pour se réveiller ; mais elle n'avait pas rêvé. Elle fut soudain très inquiète, parce que l'or étincelait dans le salon presque autant que la bombarde. Elle voulut éteindre la lumière et se déplaça péniblement en enfonçant dans le gros tas d'or luisant. Elle perdit l'équilibre et tomba, se releva, l'or cliquetait autour d'elle. Elle réussit enfin à abaisser l'interrupteur. Mais, bien que la lumière du plafonnier fût éteinte, celle de l'or suffisait à éclairer la salle. Le père barbota dans le métal jaune jusqu'à la fenêtre. Il jeta un coup d'œil anxieux au-dehors. Là-bas, sur l'île de La Pointe, le phare était allumé et lançait ses signaux protecteurs et familiers. Mais en bas de l'immeuble, les korrigans rôdaient toujours sur les quais, fouinaient dans les hangars de la criée et sur les bateaux à l'amarre, ils n'avaient pas repéré l'instrument...

– Il faut leur rendre la bombarde ! chuchota la mère effrayée. Ne pourrait-on pas la jeter dans le bassin ?

– Le bassin est trop loin, dit le père.

La mère soupira. Elle partit en expédition à travers l'or vers la chambre, et en rapporta des draps et des couvertures qu'elle s'efforça d'étendre sur le tas de richesse, pour en atténuer l'éclat. Milig et son père l'aidèrent. Le père réfléchissait.

– Si nous leur rendons la bombarde, ils nous repéreront, fit-il remarquer. Mieux vaudrait la garder cachée quelque temps...

– Nous ne pourrons pas la dissimuler longtemps, observa la mère. Pour l'instant, de la lumière brille à toutes les fenêtres des immeubles du front de mer, ce qui nous permet de passer inaperçus. Mais dès que les voisins éteindront les lumières, seule notre fenêtre restera illuminée par l'or. Et nous serons repérés !

Elle avait raison.

– Sans compter, ajouta Milig, que le mot de passe changera à minuit, et que la bombarde ne nous sera plus utile.

– Il faut la jeter aux korrigans ! répéta la mère avec force.

Le père secoua la tête.

– Non, refusa-t-il. Si nous leur jetons la bombarde, ils apprendront qui la leur a volée. Méchants comme ils sont, ils nous le feront payer cher !

Il n'avait pas tort non plus. La réputation de méchanceté des petits personnages n'était plus à faire. Dans la rue, ils rôdaient de plus en plus nombreux sous les réverbères.

– Bonjour-Maître ! Que-demandes-tu-Maître ? Donne-moi-le-mot-de-passe-ou-j'alerte-les-korrigans ! répéta la bombarde menaçante heureusement cachée sous le coussin.

– Ferme-la, coquille de bernique ! dit Milig.

– Donne-moi-le-mot-de-passe-ou-j'alerte-les-korrigans !

Milig attrapa le vase qui trônait sur le buffet du salon, écarta les pièces d'or sur la table d'un revers de main, et posa le vase auprès de la bombarde afin de l'occuper.

– Coquille de bernique, remplis-moi ce vase de diamants !

La bombarde se mit au travail. Elle luisait très fort. La mère effrayée regardait le port en gémissant doucement :

– Pourvu que les korrigans ne nous découvrent pas ! Oh ! ils regardent partout !

– Je crois que j'ai une idée ! annonça Milig.

– Quelle idée ? se renseigna le père.

Il était un peu méfiant. Le fils n'avait-il pas eu déjà « l'idée » de voler la bombarde et de leur attirer ces ennuis ?

– Ton avion modèle réduit, dit l'enfant.

– Quoi mon avion modèle réduit ? demanda le père.

Il s'était fabriqué un bel avion modèle réduit, qui volait très haut et très vite en pétaradant. Il avait passé des mois à le mettre au point.

– Fixons la bombarde d'or sous la carlingue, proposa Milig. Puis nous ouvrirons la fenêtre et nous le lâcherons. Tu le téléguideras d'ici vers la plage ou vers l'île de La Pointe. Quand les korrigans le repéreront, il sera déjà en l'air. Ils ne sauront jamais de quelle fenêtre il aura décollé...

– Oui ! approuva la mère.

Mais le père grimaçait, chagriné à l'idée de se séparer de son avion.

– Tu t'en achèteras autant que tu voudras avec tout cet or ! remontra la mère pour le décider.

– Acheter ! Peuh ! fit le père avec un haussement d'épaules. Celui que j'ai, je l'ai confectionné moi-même...

– Tu en fabriqueras un autre, dit son fils. Avec tout cet or, tu n'auras plus besoin d'aller travailler : tu auras tout le temps de bricoler !

– Décide-toi, ajouta la mère. Il est presque vingt-deux heures...

Déjà plus d'une heure que les korrigans arpentaient les quais à l'affût du moindre indice, qui leur permettrait de démasquer leur voleur.

– Ils vont finir par nous repérer ! s'écria la mère.

– Bonjour-Maître ! -Que-demandes-tu-Maître ? fit entendre la bombarde.

– Je te demande de te taire ! riposta Milig.

– Que-demandes-tu-Maître ? Donne-moi-le-mot-de-passe-ou-j'alerte-les-korrigans !

– Coquille de bernique, fabrique-moi mille montres en or ! lança Milig pour avoir la paix.

La bombarde se mit à cracher ses belles montres.

– Dans moins d'une demi-heure, rappela la mère, le film qui passe à la télévision se terminera et les gens se coucheront. Presque toutes les lumières s'éteindront... sauf la nôtre !

– Mille sabords ! s'écria le père.

L'argument de la mère le décidait. Il barbota dans le monceau de pièces d'or en balançant les bras, et courut au placard du couloir prendre son avion téléguidé. Milig l'aida à arrimer la bombarde d'or sous le fût de l'appareil avec des élastiques.

– J'espère qu'elle ne sera pas trop lourde, dit le père.

Ils revinrent dans le salon en dissimulant la bombarde sous une serviette éponge.

– Ouvre la fenêtre, demanda le père à la mère.

En ramant des deux bras, elle repoussa l'or devant elle et gagna la fenêtre. Elle l'ouvrit. Le père s'approcha. Sous la serviette éponge, il avait lancé le moteur de son avion. Au signal, Milig arracha la serviette et le père jeta l'avion par la fenêtre. En même temps, de l'autre main, il pressait la télécommande. Le modèle réduit s'élança en l'air à toute vitesse, dirigé par son constructeur. Le moteur vrombissait, pétaradait, les gens ouvraient les fenêtres pour tâcher de savoir ce qui se passait. Le père manipula la télécommande pour chasser l'appareil au loin.

Comme la lumière était éteinte dans l'appartement, personne ne pouvait le voir piloter l'avion. Dans la rue, tous les korrigans avaient relevé la tête au grondement de moteur. Ils se mirent à piailler à la vue de l'illumination : la bombarde d'or brillait dans le ciel noir comme une étoile filante.

– Là-haut ! La bombarde ! Rattrapez-la !

– Dirige-la vers la plage, conseilla Milig à son père.

C'était bien ce qu'il faisait. Il déplaçait adroitement la manette de commande du modèle réduit. Cependant, pour le plaisir de faire enrager les korrigans désemparés, il lui fit survoler le port et le bassin à basse altitude et même effectuer un looping au-dessus de leurs têtes. Ils poussaient des exclamations et sautaient en l'air, comme font les enfants pour saisir le pompon des manèges à la fête foraine. Le père riait.

– Rends-leur la bombarde ! supplia la mère angoissée...

Le père fit reprendre un vol assagi à l'avion vers la plage et le phare allumé. Le point lumineux de la bombarde s'éloigna, coupant au-dessus des bassins du port. Les korrigans à sa poursuite cahotaient en foule sur le quai en hurlant. Les pétarades du modèle réduit s'affaiblirent...

– Fais-le atterrir à présent, proposa la mère au père.

La famille pataugeait dans l'or qui arrivait au ras de la fenêtre. Il fallait même prendre garde à ne pas faire déborder des pièces par-dessus l'appui.

– D'accord, accepta le père à regret.

L'idée de perdre son avion l'attristait. Mais soudain le voyant lumineux de la télécommande s'éteignit de lui-même, en même temps qu'on cessa d'entendre le moteur du modèle réduit.

– Zut ! s'écria le père.

Il ne contrôlait plus l'appareil. Ou bien l'avion avait percuté un rocher ou un arbre, ou bien il s'était posé sur l'île ou sur la plage, ou bien encore il avait sombré dans les flots. Le père était malheureux, il ne se décidait pas à quitter la fenêtre. Les voisins refermaient les leurs puisqu'il n'y avait plus rien à voir. (Le lendemain, sans doute, ils raconteraient qu'ils avaient repéré une soucoupe volante !) Le père s'efforçait sans succès de sonder du regard l'obscurité...

– Rentrons, maintenant, lui dit doucement la mère.

Elle referma la fenêtre. Les korrigans étaient partis, la famille n'avait pas été repérée. Mais le père était inconsolable de la perte de son appareil téléguidé.

Le lendemain, il alla faire une promenade de reconnaissance sur la plage en compagnie de Milig. Ils y découvrirent les débris de l'avion éparpillés jusque sur les rochers de la petite île : c'étaient les korrigans dépités qui l'avaient taillé en pièces, après avoir récupéré leur bombarde.

Ils ne retrouvèrent jamais leur voleur. Et pendant longtemps, après l'affaire, chaque fois qu'un avion survolait leur île ou le front de mer, on pouvait les entendre hurler – sans les voir. Sans doute brandissaient-ils leurs petits poings vers le ciel comme si tout ce qui volait était responsable. Et c'était logique, ainsi que le soulignait Milig en clignant de l'œil : puisqu'un voleur vole, pourquoi ce qui vole ne serait-il pas un voleur ?

Le sorcier des grèves

Un soir qu'il se promenait sur la plage, Patrick vit une ombre verte au-dessus de lui.

– Hé ? fit-il en reculant.

Pas le temps d'en dire davantage. L'ombre se laissa choir des rochers à ses pieds. C'était le Sorcier des Grèves, une espèce de nain avec une chevelure de goémon et des moules accrochées dedans. Avec ça, trapu, bossu, un long nez et une peau humide, le personnage faisait plutôt peur. Patrick se retourna, comme pour chercher de l'aide, mais il était seul au bord de la mer et c'était le crépuscule. La marée montait.

– Salut marin d'eau douce ! grinça le Sorcier des Grèves.

Un crabe trottait dans ses longs cheveux d'algues et ses haillons verts étaient incrustés de berniques. Répugnant.

– Sa... salut, répondit Patrick avec effort.

Il n'en menait pas large, parce que l'espèce de gnome à peau verdâtre dansait autour de lui comme un épouvantail. Patrick eut l'espoir de faire demi-tour pour prendre la poudre d'escampette, mais l'autre ricana :

– Si tu fais mine de bouger, je te griffe !

Il tendait ses pattes humides armées d'ongles impressionnants vers le garçon. Sûrement, le nain fantastique était de taille à l'écorcher jusqu'au sang. Patrick frissonna. Alentour, la mer revenait sur les sables gris, se faufilait dans les rigoles entre les rochers. Le soleil s'abaissait à l'horizon avant de plonger dans les flots. Une mouette passa en criant.

– Bon, dit le Sorcier. Je constate que tu es raisonnable.

– Qu... qu'est-ce que vous voulez ? demanda Patrick.

– Monte sur le rocher, marin d'eau douce ! ordonna l'autre.

Il bondit lui-même comme un singe sur l'énorme bloc de granite.

– C'est que, remontra Patrick, je n'ai pas le temps, on m'attend à la maison et...

– Monte et ne m'énerve pas !

Patrick escalada la roche ; dans les creux encore pleins d'eau, des crevettes nageaient. Le personnage bizarre tira de ses haillons un jeu de cartes et se mit à le battre. Les cartes frottées crachaient des étincelles et des flammes dansaient dessus. Patrick jeta des regards désespérés autour de lui, mais la plage était déserte. La mer léchait le sable. Qui appeler ? Et le Sorcier des Grèves, que lui voulait-il ?

– Tu sais jouer aux cartes, marin d'eau douce ? vérifia le nain.

– Heu... pas trop, murmura Patrick.

– Mais si ! c'est facile !

L'eau roulait son écume et le bruit des vagues

déferlantes avait quelque chose d'inquiétant. Une autre mouette déchira le ciel d'un coup d'ailes. Le Sorcier des Grèves s'assit en tailleur au sommet du rocher, où il invita Patrick à le rejoindre. L'enfant n'osa pas refuser. Quand ils furent assis face à face, le Sorcier reprit la parole :

– Tu vois ce jeu de cartes ?

Comment ne pas le voir ! Il brûlait et fumait entre eux. Tandis que la lumière du jour faiblissait, un bateau minuscule regagnait au loin le port de pêche ; on entendait le bap-bap-bap de son moteur porté par l'étendue d'eau. Patrick gémit.

– Silence, marin d'eau douce ! ronchonna le gnome coiffé d'algues. Et jouons ! Mais je t'avertis que je vais tricher. Je triche toujours. Quand je tire une carte, c'est forcément la plus forte du paquet, alors que lorsque c'est toi qui la tires, c'est inévitablement la plus faible. Ah, ah, ah !

Ça le faisait rire aux éclats.

– Tu triches ? protesta Patrick indigné de voir son adversaire s'en vanter.

– C'est comme ça. Si je touche une carte, elle est forte. Quelle que soit la carte que je touche. Et maintenant jouons !

– A... à quel jeu ?

– Chacun tire une carte et la retourne. Le vainqueur est celui qui tire la plus forte.

Le petit individu vert s'amusait, mais Patrick recouvrait peu à peu son sang-froid.

– Je connais ce jeu, déclara-t-il. C'est la bataille.

– Ferme-la et jouons !

– Tu me laisseras m'en aller après ?

L'inconnu éclata d'un rire démoniaque, de la fumée sortait de ses oreilles. Il gesticulait tellement que des coquillages tombèrent de ses cheveux.

– Ça m'étonnerait que tu gagnes, marin d'eau douce ! Ah, ah, ah !

La mer encerclait le rocher ; les dernières lueurs du soleil la rougissaient depuis l'horizon. Le minuscule bateau de pêche avait disparu derrière la falaise, vers la gauche, et le bruit du moteur s'était étouffé.

– Si je gagne la partie, tu me laisseras m'en aller ? insista Patrick.

– Si tu perds, je t'emporte avec moi dans ma grotte au fond de l'eau. Tu feras mon domestique, marin d'eau douce !

– Au fond de l'eau ? Quelle horreur ! Mais...

– Jouons. Je commence. Je vais forcément tirer un as !

Le sorcier retourna une carte fumante, et comme il l'avait prédit, il s'agissait d'un as, la plus forte carte. L'as de pique. Le vilain bossu se frotta les mains de satisfaction en grinçant des dents, et exécuta subitement un saut périlleux en arrière au haut du rocher. Il retomba sur ses pieds comme un chat, et se rassit. Ses yeux luisaient.

– A toi de jouer marin d'eau douce !

La plage s'était encore assombrie. La mer promenait des méduses autour du gros rocher. Les vagues enflaient, s'écroulaient à grand bruit sur le sable. Patrick essaya de perdre du temps :

– Et si je gagne, que me donneras-tu ?

– Tu ne gagneras pas. Tu n'as pas compris ?

– N'empêche. Si je gagne ?

– Aucune chance ! Il suffit que je touche une carte, n'importe laquelle, pour qu'elle soit la plus forte du jeu. Alors que celle que tu toucheras, sera toujours la plus faible.

– J'ai compris. Mais si je gagne quand même ?

Le Sorcier vert haussa ses épaules couvertes de goémon.

– Si tu gagnes, ah, ah, ah, c'est moi qui te suivrai ! Ah, ah, ah ! Et même, j'exaucerai tous tes souhaits ! Ah, ah, ah ! Ce n'est pas demain la veille, marin d'eau douce ! Ah, ah, ah ! Maintenant, tire une carte !

Patrick avança une main tremblante vers le tas de cartes ; elles brûlaient mais restaient intactes, et sous celles du dessus mille flammes dansaient. Patrick s'immobilisa.

– Je n'ose pas toucher tes cartes, déclara-t-il.

– Tire une carte, il n'y a pas de danger ! s'impatienta le gnome.

Mais Patrick retira sa main en secouant la tête. Le Sorcier des Grèves fit entendre un râlement de dépit, et se releva. Debout, il était à peine plus grand que son adversaire assis. Autour d'eux la nuit venait, les vagues battaient la pierre et l'eau clapotait. Les cartes du jeu brûlaient devant le garçon comme le feu.

– Tire une carte pour moi, demanda Patrick. Moi je n'ose pas toucher à ton jeu.

– Poltron ! s'écria le Sorcier avec mépris.

– Tire une carte pour moi, répéta Patrick. La troisième par exemple.

Avec un juron, le nain malfaisant attrapa la troisième carte et la retourna. Mais comme c'était lui qui l'avait touchée, c'était forcément encore la plus forte du tas. Un autre as : l'as de cœur. Le Sorcier vexé se mit à frapper des deux pieds le rocher en criant ; il le battait si fort qu'il en éclatait des fragments. Il s'en voulait d'avoir tiré une carte pour cet enfant d'humain. Ses yeux brillaient comme deux lampes de poche.

– Égalité, revendiqua Patrick. Je n'ai pas perdu : donc tu me laisses m'en aller.

– Non ! Bataille ! On rejoue ! brailla le Sorcier des Grèves.

Il tira aussitôt du jeu une seconde carte enflammée. C'était le troisième as : l'as de trèfle. Patrick avait peur. Personne sur la plage assombrie. La mer montait à l'assaut du rocher et s'écoulait ensuite dans le sable mou. Le nain exigea :

– A toi de jouer ! Tire une carte marin d'eau douce !

– Je ne peux pas, répéta Patrick d'un air innocent. Je n'ose pas toucher tes cartes. Si tu veux, j'irai chercher un jeu à moi, et demain, nous...

– Pas question !

Le Sorcier abattit son poing fermé sur le granite et en ébrécha un gros fragment. Il devinait que l'enfant ne reviendrait jamais, s'il le laissait partir. Il étala ses cartes à l'envers sur la pierre, et tira de sa chevelure d'algues une espèce d'aiguille de bois, qui servait à retenir ses cheveux chargés de moules. Il tendit la badine à Patrick.

– Voilà une baguette de bois. Tu n'auras qu'à retourner les cartes avec. Ça t'évitera de les toucher.

– Heu... je...

– Maintenant, tu la fermes ! Tu choisis une carte et tu la retournes avec la baguette !

Patrick saisit la badine en tremblotant. Le soleil avait sombré dans la mer profonde et la nuit était venue. Mais les cartes flambaient ardemment sur le rocher battu par les eaux. Patrick avança la baguette vers l'une d'elles, mais au lieu de l'insinuer dessous pour la soulever, il l'appuya dessus de sorte que l'extrémité du bâton s'enflamma. Patrick le lâcha.

– Ah ! fit-il.

– Poule mouillée ! s'écria le sorcier en retournant lui-même la carte que Patrick avait effleurée de sa badine.

Mais comme c'était encore lui qui l'avait touchée, cette carte était encore un as : le dernier du paquet, l'as de carreau.

– Égalité ! triompha Patrick en se levant. Maintenant, tu dois me laisser m'en aller !

– Enfer et damnation !

Le Sorcier se frappait la poitrine à coups de poing et se griffait les joues, pour se punir de s'être laissé tromper une seconde fois. Il arrachait les berniques incrustées dans sa peau rugueuse. Patrick tourna les talons.

– Reste ici ! hurla le gnome.

Les vagues étalaient leurs tapis liquides sur la plage et venaient exploser contre le rocher éclaboussé.

– Mes parents vont s'inquiéter, se défendit Patrick arrêté.

– Je m'en fous ! Continuons la partie !

– Écoute : tu as retourné deux as, moi aussi. Nous sommes quittes.

– Non ! Bataille ! On rejoue !

Le Sorcier se démenait comme une marionnette. Il abattit encore des morceaux de roche à coups de talon rageurs, et posa la main sur une carte. A la seconde même où il allait la retourner, Patrick dit :

– D'accord. Cette carte que tu retournes sera la mienne.

Le gnome épouvantable achevait de la retourner comme Patrick finissait de parler. Comme il l'avait touchée, la carte fut un roi : la plus forte figure du jeu. Le Sorcier poussa un long mugissement de douleur en constatant qu'il venait, une fois de plus, de retourner une carte pour son adversaire.

– A toi de jouer, lui dit Patrick sans se troubler. Et cesse de hurler, tu vas réveiller les poissons.

Le garçon s'enhardissait en remarquant que le Sorcier des Grèves ne se contrôlait plus. Alentour, la plage était presque invisible ; seul le fracas des vagues déferlantes, attestait qu'elle était toujours là. La mer montait ; elle finirait bientôt par avaler le rocher. Patrick eut une pensée soucieuse pour ses parents. Ils ignoraient où il était. Sûrement, ils alerteraient la police, mais qui viendrait le chercher ici ? Il fallait continuer de jouer contre le nain tricheur, continuer de ruser, l'amener à perdre son calme, pour le tromper encore. Les cartes enflammées l'éclairaient par-dessous, accentuaient sa mine inquiétante.

– A toi de jouer, répéta Patrick résigné. A moins que tu abandonnes ?

– Non ! rugit le Sorcier des Grèves. Jamais !

Il retourna une carte, et c'était un roi, puisqu'il l'avait touchée. Il en restait deux sur le jeu.

– Égalité, constata Patrick sans enthousiasme.

– Bataille ! rétorqua le Sorcier. Ne m'énerve pas !

– Quel mauvais joueur ! fit Patrick. Est-ce que

tous les Sorciers des Grèves ont aussi méchant caractère que toi ?

– Ferme-la !

La mer frappait le rocher de plus en plus haut et éclaboussait les pieds du garçon et du nain. La nuit s'était épaissie, mais la lune apparut, reflétée en mille touches tremblantes sur l'étendue d'eau. Patrick frissonna. Il considéra le tas de cartes qui brûlait entre son adversaire et lui comme un feu de bois.

– Il reste deux rois dans le jeu de cartes, dit-il.

Et il ajouta, histoire d'agacer le gnome :

– Je parie que si tu joues, tu vas encore tirer un roi.

– Ferme-la !

– D'ailleurs, poursuivit Patrick, tu n'es sans doute pas capable de tirer autre chose. Ton pouvoir est très limité.

– Ferme-la !

– Je suis prêt à parier que la prochaine carte que tu tireras pour toi sera un roi, parce que tu *ne peux pas* tirer autre chose !

– Ferme-la !

– Tu as peur de parier ?

– Ferme-la !

– Tu te dégonfles ! Les sorciers sont des dégonflés ! ricana Patrick.

Et il continua sur le même ton en feignant d'ignorer l'exaspération croissante du nain couvert d'algues. Il chantait :

– Le Sorcier des Grèves est un dégonflé-eu-il a peur de parier !

– Non ! hurla le nain en lui coupant la parole. Je peux tirer les cartes que je veux, même des cartes faibles ! Il suffit que je change de main !

– J'aimerais bien voir ça, que tu sois capable de tirer pour toi une mauvaise carte ! le défia Patrick.

– Eh bien ! tu l'as vu ! ah, ah, ah ! s'écria le Sorcier avec un énorme éclat de rire.

Et en même temps, il avait retourné une carte de la main gauche, et c'était un DEUX, la carte la plus faible du jeu.

– Et voilà le travail ! triompha le personnage incongru, en se mettant à danser.

Puis il vit à la lueur des cartes, le sourire malin de son adversaire, et réalisa qu'il était berné.

– Mais ? fit-il.

Il voulut se reprendre :

– Je n'ai pas joué ! Ça ne comptait pas ! C'était pour le pari !

Il retourna sa mauvaise carte à l'envers et s'apprêta à en soulever une autre de la main droite.

– Tu as joué ! Tu as tiré un DEUX ! lui rappela Patrick.

Autour d'eux, la mer avait enflé. Les vagues écumantes déferlaient en grondant à leurs talons, et léchaient le sommet du rocher. Le Sorcier vociférait : sa voix couvrait le fracas de la marée. Il donna un coup de pied furieux à la roche, et détacha une masse énorme qui croula dans l'eau avec un grand plouf. Ses yeux jetaient des éclairs. Patrick se remit à chanter à la manière des petits de la maternelle :

– Il a perdu-eu-il a fait un DEUX-eu-il a perdu-eu-et il...

– Ferme-la ! La ferme !

Le Sorcier des Grèves pivota brusquement.

– D'abord, je n'ai pas perdu puisque tu n'as pas joué !

– Ah pardon ! fit Patrick.

Il mentait exprès pour mettre en fureur le Sorcier :

– J'avais joué un roi, c'est toi qui as retourné ma carte à l'envers, en tapant par terre comme un forcené !

C'était un sacré mensonge. Mais la ruse était bonne. Le gnome réagit de toutes ses forces :

– Menteurrr ! Sale menteurrrrrr !

Il était à bout, il s'égosillait en tapant du pied :

– Menteurrrrrrrr ! Sale menteurrrrrrrrrrr !

Il n'en pouvait plus d'indignation. Il s'étranglait de rage. La mer recouvrait le rocher à présent, les deux adversaires y étaient debout jusqu'aux chevilles. Le jeu de cartes restait sous dix centimètres liquides, mais continuait de flamber, puisqu'il était magique. Les cartes avaient une couleur verte extraordinairement lumineuse, à cause du mélange d'eau et de feu. Patrick désigna une carte à côté de celle que le diable avait retournée, mais il se garda d'y toucher.

– Même que c'était celle-là ! dit-il. Tu peux vérifier !

– Sale menteurrrrrrrrrrr ! rugit le Sorcier à bout de nerfs en piétinant l'eau écumante.

Et pour prouver que Patrick mentait, il retourna la carte. Malheureusement pour lui, il n'avait pas pensé à ce qu'il faisait, et l'avait retournée de la main droite. C'était donc un autre roi. Patrick triompha :

– Qu'est-ce que je disais ! C'est le roi de carreau !

Le Sorcier des Grèves poussa un long sanglot douloureux. Il cracha une série de gros mots, et il se laissa tomber accroupi dans l'eau sur le jeu de cartes. Il pleurait. Ses cheveux d'algues s'étalaient autour de lui comme les tentacules d'un poulpe. Patrick fit remarquer :

– Je crois que tu as perdu la partie.

Les pleurs du Sorcier des Grèves redoublèrent en sourds beuglements. Il était victime de sa propre impatience : les humains d'aujourd'hui étaient devenus trop diaboliques pour lui. Il se releva dégoulinant d'eau de mer ; crabes et crevettes trottaient de travers dans sa chevelure. Il voulut parler...

– Silence ! exigea Patrick tout à coup.

Il tendit l'oreille. Le Sorcier interrompit ses lamentations, attentif au bruit lui aussi. On entendait le moteur d'un petit bateau, sûrement on était sorti à la recherche du garçon. Patrick cria :

– Ici ! je suis ici !

Il agitait les bras bien que personne ne pût le voir. Le Sorcier des Grèves se fit suppliant :

– Donne-moi une autre chance ! S'il te plaît !

– Non ! Tu as perdu ! Ferme-la !

C'était son tour de rembarrer l'autre. Le bruit de moteur s'approchait, contournait la falaise, et soudain, une petite lumière jaune dansa sur les eaux noires : une lanterne.

– Ohé ! du bateau ! ici ! je suis ici ! cria Patrick.

– Attends ! s'écria le Sorcier des Grèves. Donne-moi une autre chance ! Moi je t'en ai donné plusieurs !

Quel culot ! Patrick haussa les épaules. Il continua d'appeler en agitant les bras comme des ailes de moulin à vent. Il était dans l'eau jusqu'aux genoux, et la lumière des cartes l'éclairait. Le gnome se mit à quatre pattes pour ramasser son jeu.

– S'il te plaît... commença-t-il.

– Ici ! A moi ! Venez vite ! appelait Patrick.

Le moteur du bateau s'arrêta. A bord, on avait dû entendre quelque chose, là-bas, sur la mer, et sans doute voulait-on écouter sans gêne. Patrick cria de plus belle :

– Ohé ! du bateau ! Je suis ici ! Sur le rocher ! Venez vite !

Des cris lui répondirent :

– Tiens bon, petit ! Nous arrivons !

Le moteur du bateau repartit : bap-bap-bap ! Patrick agitait les bras, tandis que la lanterne se rapprochait en dansant sur les vagues obscures.

– Par pitié, donne-moi une dernière chance... implora le gnome verdâtre.

Plus petit que Patrick, il était dans l'eau jusqu'au cou : sa chevelure d'algues flottait autour de sa tête sur l'eau écumante.

– Aucune chance ! riposta Patrick. Et puisque tu me l'as proposé, je te prends à mon service ! Quand j'aurai besoin de toi, je t'appellerai ! Maintenant, dégage, si tu ne veux pas que les autres te voient !

– Oui Maître...

Avec un sanglot douloureux, le Sorcier des Grèves s'enfonça piteusement dans l'eau, et disparut dans un remous. Le petit bateau accostait au rocher, et les marins du secours en mer sautèrent sur la pierre. Patrick était sauvé. Dans sa tête, il préparait déjà une longue liste de souhaits à faire exaucer par le nain. S'il avait pensé à voix haute, j'aurais pu vous la révéler.

Le bâton du pilaouer

Les trois frères rêvaient d'aventures.

– Moi, disait Jean l'aîné, j'irai explorer les terres inconnues, et j'épouserai une princesse.

C'était lui qui s'occupait de ses frères pendant les vacances.

– Moi, répondait François, le second, j'irai rencontrer les peuples étrangers, et j'épouserai une princesse.

– Et moi, concluait Lanik le plus jeune, je pense qu'il y a des gens qu'on ne connaît pas, sans aller à l'autre bout du monde.

Même pendant les vacances, il jouait avec sa calculette. Cela agaçait ses aînés. Ils l'interrogèrent d'un haussement d'épaules :

– Qui ? demanda François.

– Le *pilaouer,* par exemple, répondit Lanik. Personne ne le connaît, et pourtant on le voit tous les soirs.

C'était vrai. A la tombée de la nuit, le *pilaouer* passait le long du front de mer, appuyé sur son lourd bâton qui sonnait sur les pavés : pok-pok-pok. Il était très grand, près de deux mètres, il semblait très fort, et ne parlait à personne. Son balluchon sur le dos, il dépassait les dernières maisons du port, empruntait le sentier sur la lande jusqu'à la crique. Là était échoué un cargo. Une barrière de bois empêchait l'approche. C'était là que le *pilaouer* se rendait. Il entrait dans le cargo rouillé, y restait environ une heure et repartait. Il ne revenait que le lendemain soir.

– Je me demande ce qu'il va faire dans le bateau, dit Jean.

– Moi je me demande comment c'est à l'intérieur, ajouta François, vu que personne n'y est jamais entré..

– Il suffit d'essayer, dit Lanik en jouant avec sa calculette.

Ses frères réfléchissaient. Toutes sortes de légendes couraient sur le rafiot échoué. On racontait qu'il grinçait la nuit, qu'il était hanté, que des pirates l'avaient habité autrefois. Mais le cargo restait clos, les hublots étaient aveuglés.

– Attention ! dit Jean.

Pok-pok-pok.. Le *pilaouer* arrivait dans la rue, annoncé par son bâton. Les trois frères reculèrent dans l'entrée de l'immeuble. Le *pilaouer* approchait, taciturne, un sac sur le dos.

– Je me demande ce qu'il transporte, murmura Lanik.

– Des enfants volés ! ricana Jean pour l'effrayer.

– Et pour les manger ! ajouta François.

Le *pilaouer* passait sans détourner la tête ; il prit le chemin de la crique.

– Et si on le suivait ? suggéra Lanik.

– Il nous entendra, dit François.

– Il ne se retourne jamais, dit Lanik. Nous n'aurons qu'à rester à distance.

– Allons-y, dit Jean. Plus un mot !

Il partit le premier. Les frères longèrent la plage. La lumière était crépusculaire et des longs déchirements rouges lacéraient le ciel mauve. La mer se fracassait sur les rochers déserts. Le *pilaouer* ne se retournait pas. Il marcha le long du sentier qui s'élevait au-dessus de la plage entre les pins tordus ; de l'autre côté, le talus embaumait le parfum des fleurs que le soleil avait réchauffées toute la journée : violettes, primevères, giroflées, aubépines. Enfin, le sentier se mit à redescendre et l'on arriva dans la crique. Elle sentait le varech. Les trois frères s'immobilisèrent près des arbres. Ils virent le *pilaouer,* silhouette sombre, pousser la barrière et marcher vers le cargo échoué. Les derniers éclats du soleil rougissaient les reliefs rouillés. Mais le *pilaouer,* au lieu de gravir l'échelle de coupée vers le pont, toqua du bâton contre la coque métallique. Aussitôt, une voix aiguë se fit entendre en réponse :

– Alarme ! Alarme !

– Ouvre, Barbedette ! ordonna le *pilaouer.*

Une porte s'ouvrit dans la coque ! Une lumière jaune éclaira l'ouverture rectangulaire, le temps que le *pilaouer* pénètre à l'intérieur du cargo. Puis la porte fut refermée.

– Et voilà, dit François, nous ne sommes pas plus avancés qu'avant !

– Si, dit Lanik. Avant, il n'y avait pas de lumière visible, et tous les hublots étaient éteints. Or l'intérieur est éclairé.

– C'est vrai, convint Jean.

– Avant, poursuivit Lanik, nous ne savions pas qu'il y avait une porte dans la coque.

– C'est vrai, reconnut François.

– Le *pilaouer* ne tardera pas à ressortir, dit Lanik. Si nous l'attendions ?

La nuit venait et le rouge du ciel fonçait. La mer battait la crique, une vieille lutte avec la terre, une lutte de toujours. Une chouette passa en hululant ; les trois frères frissonnèrent.

– Ce soir, annonça Jean, j'entrerai dans le cargo, dès que le *pilaouer* en sera parti.

François essaya de raisonner son aîné :

– Tu n'y penses pas ! C'est dangereux ! Pourquoi crois-tu que personne n'ait jamais essayé d'entrer chez le *pilaouer ?* Réfléchis ! Personne ne sait rien de cet homme. Ça veut dire que personne n'a jamais pu entrer chez lui. Est-ce que tu ne crois pas que des gens ont essayé ?

– Justement, dit Jean. Moi je veux savoir. Et je saurai.

Les frères attendirent, assis dans l'herbe. Lanik s'était mis à tripoter sa calculette par habitude, puisque l'obscurité de plus en plus épaisse l'empêchait de distinguer les touches.

– Range donc ta poupée ! ricana François.

– Attention ! Le *pilaouer* s'en va ! s'écria Jean à voix basse.

Le *pilaouer* ressortit du cargo. La porte se referma derrière lui. La haute silhouette de l'homme se déplaça sur le sable de la crique, dépassa la barrière, son balluchon sur le dos. La mer frappait la terre à coups redoublés, et le ciel avait presque perdu ses couleurs.

– Ne bougez pas ! recommanda Jean à ses frères.

Ils s'aplatirent dans l'herbe. Le *pilaouer* passa,

son bâton heurtait le sol rocheux, pok-pok-pok. Les frères attendirent.

Jean se releva le premier ; le *pilaouer* s'en était allé vers le port et ne reviendrait pas.

– Comment entreras-tu dans le cargo ? chuchota François inquiet.

– Par l'échelle, dit Jean. J'essaierai d'atteindre le pont et, de là, je descendrai dans le bateau.

– Tu ferais mieux d'entrer par la porte, dit Lanik.

– Et comment ? fit Jean.

– Tu tapes sur la coque avec un bâton, comme le *pilaouer* tout à l'heure, et tu dis la formule magique.

– Quelle formule ?

– Ouvre, Barbedette, dit Lanik.

Jean réfléchissait.

– Bon, dit-il. Je passerai par la porte.

– Et après ? Que feras-tu ? dit François.

– J'allumerai mon briquet et j'y verrai clair ! riposta Jean.

Il consulta sa montre au cadran lumineux.

– Il est près de 20 heures. Je serai de retour dans une heure. Salut !

Il fit au revoir de la main et descendit le sentier vers la crique. Dans l'obscurité, ses frères eurent beaucoup de peine à le voir passer la barrière et marcher vers le cargo. Malgré le fracas lancinant de la mer, ils l'entendirent frapper la coque et ils entendirent la voix aiguë appeler « alarme ! alarme ! » Ils entendirent Jean lancer la formule : « Ouvre, Barbedette », et la porte s'ouvrit. Jean entra. La porte se referma. La mer affrontait la crique comme les battements d'un cœur gigantesque.

– Si Jean n'est pas de retour dans une heure, décida François, j'irai à sa recherche.
– J'irai avec toi, dit Lanik.
– Non. Tu es trop jeune.
– J'aurai bientôt cent ans ! riposta Lanik.
– C'est ça, fit François. Dans combien d'années ?
– Quelques-unes, reconnut Lanik. Mais...
– Pas de mais ! J'irai seul. Et si je ne reviens pas, tu iras prévenir la police.
Lanik préféra se taire. Les deux frères attendirent encore. La nuit s'étendait à présent sur la crique et sur la lande, mais la lune apparut. Elle se reflétait sur la mer immense. Lanik s'endormait, lorsque François le toucha au bras.
– J'y vais, annonça-t-il d'un air soucieux. Jean n'est pas revenu.
– D'accord, dit Lanik.
François se leva.
– Si je ne suis pas de retour dans une heure, tu sais ce qui te reste à faire. Tâche de ne pas t'endormir !
– Bonne chance ! dit Lanik.
François descendit le sentier, bien visible sous la lune, avec une ombre longue sur le côté. Il alla droit à la barrière. Aussitôt, Lanik s'élança sur ses traces. Il courait sur la pointe des pieds, s'abaissait derrière les rochers pour ne pas être repéré. Il parvint auprès de la barrière, alors que François atteignait la coque du cargo. Là, couché sur le sable à plat ventre, le garçon entendit son frère toquer à la coque, et il entendit la réponse : « alarme ! alarme ! »
François répliqua :

– Ouvre, Barbedette !

La porte s'ouvrit. François, enveloppé de lumière jaune entra dans le cargo. Lanik se précipita dans la cour, et colla l'oreille à la coque. Il entendit un bruit de chute d'objets (des pierres ?) et la voix de François crier « aïe ! aïe ! », et une autre voix s'écrier encore « alarme ! alarme ! »

Lanik comprenait que son frère ne savait pas répondre.

– Réponds ! Réponds ! murmura-t-il.

Mais il entendit l'aboiement d'un chien, et son frère crier « tais-toi le chien », et le chien aboyait encore, et une voix nouvelle demandait :

– Qui es-tu ? Je n'ai pas entendu le bâton !

– Heu. C'est moi François, heu... répondit la voix de François.

– Mais non ! murmura Lanik pour lui-même. Ce n'est pas ce qu'il faut répondre !

Il y eut encore un aboiement. Puis plus rien. Le silence. Le cargo échoué grinçait, gémissait par-dessus le fracas de la mer. Lanik hésitait. Il se redressa, anxieux du sort de ses frères. Se retournant, il vit un bâton dans la cour. Il le prit bravement et revint toquer à la coque.

– Alarme ! alarme ! cria celle-ci.

– Ouvre, Barbedette ! commanda Lanik d'une voix ferme.

La porte s'ouvrit. Le garçon vit un corridor éclairé par la lumière jaune d'une lampe à pétrole. Il fit un pas en avant en frappant le sol de son bâton, et la porte se referma derrière lui. Le bateau grinçait et craquait, semblait respirer.

– Bonjour, Barbedette, dit Lanik à tout hasard.

Le grincement se transforma en soupir de satisfaction. Lanik fit un second pas en tapant le sol du bâton, un troisième. Des pierres apparurent au plafond, le garçon ne les quittait pas des yeux, parce qu'il se souvenait de la mésaventure survenue à son frère. Il fit un pas de plus ; les pierres se détachèrent du plafond, elles allaient crouler sur lui. Il s'immobilisa. Les pierres demeurèrent suspendues au-dessus de lui. Il dit :

– Arrête, Barbedette ! Halte, Barbedette ! Stop, Barbedette !

Il n'était pas sûr d'avoir imaginé la bonne formule et il ajouta :

– Remontez, Barbedette !

La formule devait convenir car les pierres entrèrent dans le plafond qui se referma ; le cargo fit entendre un soupir. Une voix demanda :

– Qui es-tu ?

Comme un murmure qui venait de partout à la fois.

– C'est moi le *pilaouer,* Barbedette ! répondit fièrement Lanik, en tapant son bâton par terre.

Nouveau soupir du bateau. Lanik avança. Il approchait de la porte fermée au fond du corridor, lorsque l'aboiement du chien retentit. Immédiatement, un énorme chien rouge surgit par la porte entrebâillée. Lanik recula, mais il s'écria :

– Paix, Barbedette ! Couché, Barbedette !

Le chien s'apaisa, vint le flairer. L'enfant abaissa la main pour lui caresser la tête. En même temps, il parlait :

– Bon chien, Barbedette. Couché, Barbedette. Aux pieds, Barbedette...

Il essayait les expressions habituellement

adressées à un chien. L'une dut satisfaire l'animal, car il vint frotter ses flancs à ses jambes. Lanik se remit à marcher, toucha la porte.

– Alarme ! Alarme ! s'écria celle-ci aussitôt.

– Ouvre, Barbedette ! répéta Lanik. C'est moi le *pilaouer*.

Il tapait du bâton par terre : pok-pok-pok.

– Entre, dit la porte en s'ouvrant d'elle-même.

Le garçon découvrit une salle mal éclairée par un petit feu, qui subitement se mit à flamber avec une explosion dans la cheminée : pfffouu !

Lanik s'immobilisa, surpris. Le feu illuminait la pièce, qui ne ressemblait guère au logement qu'on aurait pu supposer d'un cargo.

– Viens t'asseoir sur moi, dit une voix.

Le banc s'écarta de la table. C'était lui qui avait parlé. Lanik s'approcha, déposa son bâton sur le bout de la table et répondit :

– Merci, Barbedette.

Bravement. Alors le chien vint à côté de lui, et le garçon le caressa encore avec des paroles apaisantes. Une nappe, apparue on ne sait d'où, s'étala sur la table, un bol s'y posa ainsi qu'une assiette, et voilà qu'un pichet de cidre s'amenait, s'élevait au-dessus, s'inclinait pour verser à boire. Une galette chaude atterrit dans l'assiette. Lanik se retrouva en possession d'un couteau et d'une fourchette sans avoir esquissé un geste.

– Bon appétit, fit entendre la table.

– Merci, Barbedette, n'oublia pas de répliquer Lanik, et il ajouta : A ta bonne santé !

Le chien fit entendre un petit bruit de gorge. Lanik lui donna une bouchée de galette que l'animal avala goulûment. Le garçon mangea et il but. Quand il eut fini, il déclara :

– C'était excellent, Barbedette.

Avec un soupir d'aise, le cargo trembla de la coque aux coursives. Des lumières apparurent sur les murs. Lanik découvrit avec émerveillement des dizaines de chandelles enflammées.

– Oh ! fit-il.

Mais il se retint aussitôt de pousser un cri d'effroi, car les illuminations venaient de révéler deux statues humaines : ses deux frères. La respiration coupée, le garçon les regardait. Jean se tenait debout, posé sur le pied droit dans la posture d'un marcheur. Il avait été pétrifié en plein élan. François était en position de repli, les bras entrouverts : statufié tandis qu'il reculait. Lanik fut tiré de son examen effrayé par une voix nouvelle :

– Monte !

Il releva la tête, et s'aperçut que la pièce était assombrie, que le feu dans la cheminée s'étouffait, et que les chandelles sur les murs dessinaient maintenant un chemin de lumière vers un escalier métallique. Le garçon saisit son faux bâton, dépassa les statues ; leurs yeux le suivaient. Bravement, le chien frotté à sa jambe droite, il fit sonner son bâton sur le sol : pok-pok-pok.

– Monte ! ordonna l'escalier.

Tout en haut l'attendait un grand bâton, debout sur le palier, un authentique bâton de *pilaouer,* celui-là ! Lanik hésita, tripotant sa calculette dans sa poche comme un porte-bonheur. Il gravit l'escalier. Machinalement, il comptait les marches, c'était une manie, il le faisait toujours. Tout ce qu'il faisait, il le traduisait en chiffres, ses frères le raillaient sans méchanceté.

100

Il compta vingt marches. A peine était-il sur le palier que le grand bâton se mit en branle et s'éleva en l'air, menaçant :

– 20 = 210. Pourquoi ?

– Facile, Barbedette ! répondit Lanik. Il y a vingt marches. J'additionne les numéros de chaque marche, 1 + 2 + 3 + 4, etc. + 20 = 210.

– Passe, Barbedette, dit le bâton en se reposant sur le palier.

Devant Lanik s'ouvrait une coursive étroite illuminée par des chandelles. De chaque côté, des tiroirs étaient superposés. Le nombre 100 était inscrit dessus. Lanik en compta mentalement 100 à gauche et autant à droite. Le chien rouge le suivait joyeusement (l'animal l'avait adopté). Le bâton, en revanche s'élevait de nouveau au-dessus de sa tête. Subitement, alors que le garçon approchait d'une porte au bout de la coursive, celle-ci se mit à crier :

– Alarme ! alarme !

– Ouvre, Barbedette, répondit Lanik sans se troubler.

– Combien y en a-t-il ? demanda la porte.

Lanik faillit demander « de quoi ? ». Mais il se retint. Il réfléchissait. Le chien rouge secouait la tête vers les parois de la coursive, comme pour lui donner une indication. Lanik devina qu'il devait s'agir des renseignements chiffrés sur les 200 tiroirs et répliqua vite (il avait déjà fait le calcul mental) :

– 20 000, Barbedette ! Ouvre, Barbedette !

La porte s'ouvrit. Le bâton se posa sur le sol. Lanik et le chien rouge entrèrent dans une grande cabine luxueusement aménagée et meublée à l'ancienne, où trônait un métier à tisser. Un grand feu pétillait dans une haute cheminée ouvragée, mais ce qui surprit le plus le garçon, fut de s'entendre appeler de derrière la tapisserie tendue sur le métier à tisser. Par-dessous la toile, il repéra six petites jambes et six petits pieds, et découvrit trois naines assises sur des tabourets. Elles tissaient la laine en lançant habilement leurs fuseaux. Elles étaient plutôt vilaines, l'une en robe rouge, la seconde en robe verte, et la troisième en robe rose. Elles portaient des bonnets serrés sur la tête.

– Heu bonsoir mesdames, dit Lanik avec timidité.

Le chien bondissait autour des naines qui le caressèrent. A leurs pieds s'entassaient des écheveaux de laine.

– Approche, ordonna la naine à robe rouge, et dis-nous qui tu es.

– Heu, fit Lanik en avançant d'un pas et en vérifiant derrière lui, que le bâton ne se brandissait pas au-dessus de sa tête.

Mais la porte de la cabine était refermée, le bâton montait la garde dans la coursive. Le chien rouge rassura le garçon :

– Tu peux parler à présent, lui dit-il. Qui estu ?

– Je m'appelle Lanik. Je suis en vacances. Je suis venu avec mes frères, mais ils ont été métamorphosés en statues.

– Nous le savons, dit alors la naine à la robe rouge.

– Qui êtes-vous ? demanda Lanik.

– Nous sommes les filles du *pilaouer,* répondit la naine à la robe verte, et le chien est notre frère.

– Notre père ne veut pas que nous nous mariions, ajouta la naine à la robe rose ; c'est pourquoi il nous enferme ici.

– C'est pourquoi aussi, compléta la naine à la robe rouge, il nous fait rester toutes petites.

– Et moi, se plaignit le chien rouge, il me force à garder le cargo.

– Si nous parvenions à le quitter, dit la naine à la robe verte, nous redeviendrions des jeunes filles comme les autres.

– Mais c'est impossible, murmura la naine à la robe rose.

– Le *pilaouer* nous retient prisonnières et quand il s'absente, son bâton magique le remplace.

– Toute la journée, nous brodons, ajouta la naine à la robe rose.

– Et le soir venu, il emporte notre ouvrage, dit celle à la robe verte.

– Il le vend, expliqua le chien. Il rapporte des pièces d'or à la place.

Lanik considéra la broderie en cours ; elle était magnifique. Les trois naines avaient de tout petits doigts, qui leur permettaient d'exécuter mille dessins extraordinaires à toute vitesse.

– Nos broderies sont enchantées, expliqua la naine à la robe rouge ; ceux qui les contemplent cessent de vieillir le temps qu'ils les regardent. C'est pourquoi le *pilaouer* les vend cher...

– Pourquoi n'essayez-vous pas de vous enfuir ? demanda Lanik...

– Par où ? demanda la naine à la robe verte.

– Par le hublot, suggéra Lanik.

– Le hublot s'obture dès qu'on s'en approche, soupira la naine à la robe rose.

– Par la cheminée ?

– Dès qu'on se place dessous, il y pleut des crapauds, dit la naine à la robe rouge. Et elle se resserre comme si elle vivait.

– Le seul moyen de sortir, expliqua le chien, c'est de vaincre notre père !

Le garçon lui fit face.

– Vaincre le *pilaouer ?* Est-ce possible ?

– Non, dit le chien tristement. Son bâton magique reste dans la coursive.

– Attendez ! dit Lanik. Est-ce que le bâton pose toujours les mêmes questions ?

– Toujours, répondit le chien. Mais pourquoi ?

– Qu'arrive-t-il à celui qui ne fournit pas la bonne réponse ?

– Il reçoit la bâtonnade ! répondit le chien.

– Ou il est changé en statue ! ajouta la naine à la robe rouge.

– Et si le *pilaouer* se trompait lui-même, demanda Lanik, est-ce que le bâton le châtierait ?

– Certainement. Mais le *pilaouer* ne se trompe jamais.

– Je crois que j'ai une idée, annonça Lanik. Retirez une pièce d'or d'un tiroir. Quand le *pilaouer* rentrera, ne le sachant pas, il ne répondra pas le bon nombre.

– Le bâton ne te permettra pas de retirer une pièce d'un tiroir, fit remarquer le chien.

– Admettons, dit Lanik. Mais peut-être me laisserait-il en « ajouter » une ?

– Ou... oui, dit le chien après une hésitation.

– Prêtez-moi une pièce d'or.

Les naines se regardaient. Celle à la robe rose se leva et courut tirer un coffret de dessous leur lit. Elle en rapporta une pièce d'or qu'elle confia au garçon. Celui-ci parlait au chien rouge à voix basse. Enfin, il ouvrit la porte et tous deux sortirent dans la coursive, où le bâton déambulait comme une sentinelle. Le chien s'élança en aboyant vers l'escalier comme s'il entendait quelque chose. Le bâton le suivit. C'était ce qu'espérait Lanik : il enfonça la pièce d'or dans l'ouverture d'un tiroir et regagna la cabine, où le chien ne tarda pas à la rejoindre. Le bâton, penaud, posait ses questions dans le vide au haut de l'escalier :

– 20 = 210. Pourquoi ?

Il n'y avait pas de réponse, évidemment. Lanik referma la porte de la cabine.

– Bien joué, dit-il en caressant la tête du chien.

Les trois naines travaillaient à la tapisserie.

– Tu ferais mieux de t'enfuir, suggéra celle à la robe rouge au garçon. Si le *pilaouer* te trouve, il te proposera un match de mathématiques, et tu le perdras.

– Un match ? dit Lanik.

– De calcul mental, compléta la naine à la robe verte. Il est imbattable.

– Moi aussi, dit Lanik.

Et il tira de sa poche sa calculette.

– Qu'est-ce que c'est ? demanda le chien.

– Proposez-moi une opération, vous verrez.

– Soixante-dix-huit fois cinquante-neuf? proposa le chien.

Lanik pressa les touches de la calculette et dit triomphalement :

– Quatre mille six cent deux.

Les naines l'applaudirent. Elles reprirent leur ouvrage en soupirant :

– Malheureusement, le *pilaouer* ne t'autorisera pas à te servir de ton instrument.

– Utilisez-le pour moi, suggéra Lanik. Vous me soufflerez les réponses.

– Impossible, dit le chien. Le *pilaouer* s'en apercevrait.

– Non, dit Lanik. Pas s'il est devant le métier à tisser, moi derrière.

– Il nous entendra souffler les réponses, réfléchit la naine à la robe verte.

– Attendez ! dit le chien. J'ai une idée ! Mes sœurs n'auront pas besoin de parler !

– Quelle idée ? demanda la naine à la robe rouge.

– Les fuseaux de laine portent des numéros, dit le chien. Ce sont les numéros des couleurs.

– Mais oui ! s'écria Lanik qui venait de comprendre l'idée du chien. Il suffirait que vous disposiez les fuseaux dans un certain ordre pour me faire connaître les réponses !

– Essayons ! proposa le chien.

La naine à la robe rouge dissimula la calculette parmi les écheveaux de laine. Le chien demanda :

– Quarante-sept fois seize ?

La naine appuya sur les touches de la calculette et déplaça les fuseaux, comme si elle tissait. Elle avait aligné devant elle le 7, le 3 et le 2.

– Sept cent trente-deux, répondit Lanik.

– Bravo ! applaudit le chien rouge. Si le nombre est trop grand, mes deux autres sœurs compléteront le résultat en donnant les chiffres suivants ! Tu vaincras sûrement le *pilaouer !*

– Qu'arrivera-t-il ?

– Il te proposera un arrangement, réfléchit le

chien. Mais tu le refuseras. Exige qu'il te fasse cadeau de son bâton.

– Et après ?

– Tu demanderas mes sœurs en mariage pour toi et tes frères. (Puis, voyant le peu d'enthousiasme du garçon, il ajouta :) Aie confiance et tout s'arrangera...

– Bon, admit Lanik.

Il alla dormir pendant que les naines travaillaient. Puis on leur servit un bon repas. Le garçon et les naines répétèrent encore leur affaire avec la calculette. Enfin le chien déclara :

– C'est l'heure. Le *pilaouer* ne va plus tarder. Il faut que je descende l'accueillir.

– Oui, oui, dit Lanik.

Il était inquiet. Le chien quitta la cabine. La naine à la robe rouge referma la porte derrière lui. Elle était vraiment petite et Lanik n'avait guère envie de demander les trois filles en mariage pour lui et ses frères. La naine à la robe rose l'encouragea d'un petit geste amical, auquel il répondit par un sourire crispé.

– Aie confiance, lui murmura la naine à la robe rouge, en retrouvant sa place devant son métier à tisser.

On entendit un bruit sourd. Lanik tendit l'oreille. C'était le *pilaouer* qui heurtait la coque du cargo. Lanik entendit la porte crier « alarme ! alarme ! » et le *pilaouer* répondre « ouvre, Barbedette ». Il entendit les pierres, la voix du *pilaouer* qui contrariait leur chute, l'aboiement du chien rouge. Il entendit la pièce du bas accueillir le maître des lieux et le bâton pok-poker. Le *pilaouer* passa à table, se leva vers l'escalier, le bâton posa sa question « 20 = 210. Pourquoi ? » et le *pilaouer* répondit. Le garçon avait de plus en plus peur : la voix du *pilaouer* était forte, profonde, terrifiante et résonnait dans la coursive.

– Courage ! chuchota la naine à la robe verte.

Lanik secoua la tête. Le *pilaouer* marchait dans la coursive vers la cabine des naines. Il passait devant les tiroirs, s'arrêta... Le cœur de Lanik battait, battait...

– Il a rapporté 100 nouvelles pièces d'or, chuchota la naine à la robe rouge. Il les range dans un autre tiroir...

En effet, on reconnaissait le tintement métallique des pièces, puis le glissement d'un tiroir refermé. La voix de la porte s'éleva :

– Combien y en a-t-il ?

Lanik attendit, le souffle court. Il imaginait le *pilaouer,* immense, debout derrière la porte, et le bâton magique brandi au-dessus de sa tête. Pourvu qu'il se trompe ! Pourvu qu'il se trompe ! espérait le garçon. Logiquement, si le *pilaouer* avait rapporté cent pièces d'or, il devait y en avoir vingt mille cent. Mais à cause de la pièce supplémentaire, il y en avait réellement vingt mille cent une. Pourvu qu'il se trompe !

– Vingt mille cent ! répondit le *pilaouer* d'une voix solide.

Il s'était trompé ! Avec joie, le garçon entendit le bâton magique frapper le *pilaouer* à coups redoublés ! Pan ! pan ! paf ! Le *pilaouer* protestait :

– Aïe ! Arrête, bâton ! Qu'est-ce qui te prend !

Le bâton frappait, frappait ; une vraie danse de folie ! Le *pilaouer* réussit à forcer d'un coup d'épaule la porte de la cabine des naines, et entra en protégeant sa tête des deux mains. Le bâton le cognait sans relâche.

– Aïe ! Arrête, bâton !

Le bâton le battait. Le *pilaouer* se courbait en deux pour échapper aux coups, mais le bâton parvenait à le joindre de biais ou par-dessous. Le *pilaouer,* adossé au mur, essayait de le capturer.

– Aïe ! Arrête ! Que se passe-t-il ! Aïe !

– Vingt mille cent une ! s'écria Lanik tout à coup.

Le bâton recula en l'air, et se posa docilement debout sur le sol. Le *pilaouer* découvrit le garçon dans la cabine des naines. Il fronça les sourcils.

– Toi qui es-tu ? gronda-t-il.

Il allait avancer, mains tendues pour saisir Lanik, mais le garçon l'arrêta d'un geste.

– Je te propose un match, *pilaouer* ! Trente-sept fois vingt-neuf !

– Peuh ! fit le *pilaouer* resté près de la porte. Facile ! (Il compta deux secondes dans sa tête et dit le résultat :) Mille soixante-treize.

La naine à la robe rouge acquiesça discrètement derrière la tapisserie. Elle avait vérifié la réponse sur la calculette. Le *pilaouer* fit un pas vers le garçon, mais celui-ci lui lança encore :

– Je te propose un match ! Le vainqueur gardera le bâton magique !

– Peuh ! gronda le *pilaouer.* Tu n'es pas assez malin !

– Cent cinquante-trois fois deux cent quarante-huit ! proposa Lanik.

Le *pilaouer* s'immobilisa. Il comptait mentalement. Il ne tarda pas à dire la réponse :

– Trente-sept mille neuf cent quarante-quatre. Comment es-tu venu jusqu'ici, freluquet ?

– Mille trois cent quatre-vingt-dix-sept fois mille cinq cent soixante-quatorze ! lança Lanik désespérément car le *pilaouer* était réellement fort.

Le *pilaouer* réfléchissait. Il aimait le jeu. La naine à la robe rouge tripotait anxieusement la calculette sous les fuseaux de laine, tandis que le *pilaouer* comptait rapidement, très rapidement.

– Essaie une division, chuchota le chien rouge en venant se frotter aux jambes du garçon.

– Deux cent quarante-trois mille soixante-dix-huit ! annonça le *pilaouer*.

La naine à la robe rouge hochait la tête pour confirmer que la réponse était juste. Mais le *pilaouer* ricanait :

– Je vais te mettre en bouillie, freluquet ! Mais d'abord, je veux m'amuser ! (Et il proposa :) cinq cent quatre-vingt-dix-sept fois deux cent quatre-vingt-huit ?

Lanik fit semblant de calculer. En même temps, la naine disposait ses fuseaux comme si elle tissait derrière la grande tapisserie : 1-7-1-9-3-6.

– Cent soixante et onze mille neuf cent trente-six.

Le *pilaouer* entrouvrit la bouche, une lueur d'intérêt dans son regard méchant.

– Ah ! fit-il. Tu es plus fort que je ne pensais. Parfait ! nous allons nous divertir ! Quatre mille sept cent quatre-vingt-dix-neuf fois deux mille sept cent soixante-quinze.

C'était difficile. En temps ordinaire, Lanik aurait dû poser l'opération, faire la preuve par neuf. Mais la calculette travaillait pour lui, la naine afficha le résultat. Comme elle manquait de fuseaux, la suite des chiffres était devant sa voisine si bien que Lanik annonça triomphalement :

– Treize millions trois cent dix-sept mille cinq cent cinquante-cinq !

Le chien fit un petit saut sur place, le *pilaouer* poussa un sifflement approbateur. Lanik s'écria :

– Alors ? On le dispute, ce match ? Et le vainqueur garde le bâton ?

Le *pilaouer* était tenté. Il ricana :

– Oui, on le dispute ! (Et tout de suite, il ajouta :) cent trente-cinq mille quatre cent vingt-huit fois deux cent quarante-six mille sept cent quatre-vingt-quinze ?

Une opération incroyable ! Mais la calculette fonctionnait, et le *pilaouer* était ébahi quand le garçon lança d'un air sûr de soi :

– Trente-trois milliards quatre cent vingt-deux millions neuf cent cinquante-trois mille deux cent soixante !

Le *pilaouer* n'en revenait pas, comptait dans sa tête, vérifiait. C'était une opération compliquée pour lui aussi, il fut obligé de recompter. A la fin, il constata que son adversaire avait fourni la réponse exacte.

– Alors ? le piqua Lanik. Tu abandonnes ?

– Non ! rugit le *pilaouer*. (Et il proposa :) cinq cent soixante-huit mille quatre cent quatre-vingt-douze fois quatre cent cinquante-sept mille neuf cent trente-deux !

– Pardon ! le coupa Lanik. C'est à moi de jouer ! (Et, se souvenant du conseil du chien, il proposa :) soixante-quinze millions huit cent quatre-vingt-dix-sept mille deux cent soixante-douze divisés par huit !

Le *pilaouer* poussa un petit gémissement de contrariété. Le chien avait bien deviné : il détestait les divisions ! Il se mit cependant à compter, il se servait de ses doigts, les portait parfois à sa bouche pour les mordiller, se trompait, recomptait. Il cherchait à gagner du temps...

– Combien as-tu dit ? Soixante-quinze millions huit cent quatre-vingt-dix-sept mille deux cent soixante-douze ? Divisés par huit ? C'est cela ?

– Oui. Hâte-toi, moi j'ai déjà fini ! dit Lanik.

Forcément : le résultat était affiché sur les numéros des fuseaux.

Le *pilaouer* s'énervait :

– Tais-toi ! Comment veux-tu que j'y arrive si tu me déconcentres !

Et il se remettait à compter mentalement, la sueur perlait à son front plissé. Enfin il annonça :

– Neuf millions quatre cent quatre-vingt-sept mille cent cinquante-neuf !

Bonne réponse. Il était très fort.

– A mon tour ! dit-il. (Et comme il préférait les multiplications, il lança :) quarante-cinq millions six cent soixante-dix-huit mille neuf cent cinquante-trois fois trente-six millions sept cent cinquante-six mille deux cent treize !

Ou-la-la ! quelle opération ! Jamais Lanik n'en serait venu à bout, mais la calculette opérait pour lui et il ne tarda pas à énumérer les chiffres du nombre impensable :

– Un quatrillion six cent soixante-dix-huit trillions neuf cent quatre-vingt-cinq milliards trois cent vingt-six millions quatre-vingt-quatre mille neuf cent quatre-vingt-neuf.

– Attends ! s'écria le *pilaouer.*

Lui-même n'avait pas achevé le calcul. Il poussa un cri de rage, parce que la réponse de Lanik l'avait troublé. Il fut forcé de recompter. Il suait à grosse gouttes. Ses mains tremblaient.

– Alors ? le pressa Lanik. C'est pour aujourd'hui ou pour demain ?

– Tais-toi ! rugit le *pilaouer.*

Il piétinait sur place devant la porte. Il fermait les yeux. Il serrait les poings. Il comptait, recomptait. Soudain, il s'immobilisa.

– Combien m'as-tu dit que tu avais trouvé ?

Lanik répéta la réponse. Facile : il suffisait de la lire :

– Un quatrillion six cent soixante-dix-huit trillions neuf cent quatre-vingt-cinq-milliards trois cent vingt-six millions quatre-vingt-quatre mille neuf cent quatre-vingt-neuf.

Le *pilaouer* respirait fort. Il parut indécis. Puis il dit :

– C'est bon. (Et il ajouta :) combien veux-tu pour t'en aller ?

– Le bâton magique, répondit Lanik.

– Non, dit le *pilaouer.* J'en ai besoin.

– Le bâton magique, exigea Lanik. C'est l'enjeu du match.

– Minute ! s'écria le *pilaouer.* Tu n'as pas gagné !

– D'accord, admit Lanik. (Et il demanda :) soixante-seize milliards cinq cent quarante-trois millions deux cent quatre-vingt-onze mille quatre cent quatre-vingt-cinq divisés par neuf.

Le *pilaouer* poussa un profond gémissement :

– Pas une division !

– Soixante-seize milliards cinq cent quarante-trois millions deux cent quatre-vingt-onze mille quatre cent quatre-vingt-cinq divisés par neuf ! répéta Lanik. A toi de jouer !

Le *pilaouer* se mit à compter, il triturait ses doigts, il parlait à voix haute. Parfois, il s'interrompait, poussait un juron rentré, recomptait. Il était en nage. Il s'arrêta :

– Je te donne ce que tu veux pour partir ! Que veux-tu ?

– Le bâton magique ! revendiqua Lanik.

– Non ! Jamais !

Le *pilaouer* se remit à compter ; mais il s'énervait, et plus il s'énervait, plus il s'égarait dans les nombres. Il se fâchait, il tapait des pieds. Il s'interrompit de nouveau.

– Je te donne une de mes filles en mariage, avec autant d'or que tu demanderas !

– Je veux le bâton ! rappela Lanik.

Le *pilaouer* fit mine de se jeter sur lui, mais le garçon s'écarta et demanda :

– Reconnais-tu ta défaite ?

– Non ! non ! cria le *pilaouer.*

Il se remit à compter. A la fin, il parut s'apaiser et annonça :

– Huit cent cinquante millions quatre cent quatre-vingt-un mille cent soixante-cinq.

Il soupira de soulagement. Lanik avait, d'un coup d'œil, consulté les fuseaux des trois naines. Il secoua la tête.

– Faux, dit-il.

– Comment ça ! s'écria le *pilaouer.*

– Il y a une erreur, dit Lanik.

– Quelle erreur ?

– Il y a une erreur et j'ai gagné le bâton.

– Il n'y a pas d'erreur ! Tu mens !

– Non, riposta Lanik. Répète ton résultat, nous allons l'écrire afin de vérifier.

Il tira un crayon de sa poche. Le *pilaouer* le lui arracha des mains.

– Je l'écrirai moi-même, tu serais capable de tricher !

Et il écrivit sur le mur : 850 481 165.

– Et voilà, dit-il.

– Faux, répéta Lanik.

Il prit le crayon et alla écrire sous le résultat du *pilaouer* : 8 504 81*0* 165.

– Tu avais oublié un zéro, dit-il.

– Non ! non ! hurla le *pilaouer* en s'arrachant les cheveux.

Il s'empara du crayon et posa l'opération sur le mur. Cette fois, il l'écrivit. Soudain, il poussa un beuglement de détresse et porta les mains à sa tête. Il avait oublié le zéro, en effet, et venait de perdre la partie ! Il s'effondra à genoux par terre en sanglotant. Lanik le contourna pour ouvrir la porte de la cabine, puis il exigea :

– Le bâton !

Le *pilaouer* se traînait sur le sol aux genoux du garçon.

– Pitié ! Pas le bâton ! Tiens, je te donne le cargo magique, tout ce qui se trouve dedans, tous mes enchantements, même mes filles et mon fils !

– Je veux le bâton, répéta Lanik.

Le *pilaouer* se leva plein de colère. Il cria :

– A moi, Barbedette, frappe-le !

Mais le bâton ne bougea pas. En revanche, Lanik devina que c'était au moyen de ces mots qu'il pourrait se l'approprier. Il dit à son tour :

– A moi, Barbedette, frappe-le !

Le bâton bondit aussitôt en l'air, et s'abattit sur le dos du *pilaouer,* qui prit la fuite à toutes jambes dans la coursive. Le bâton le poursuivit dans l'escalier jusqu'à la porte du cargo. Le *pilaouer* disparut dans la nuit, le bâton le laissa déguerpir. On ne le revit jamais par ici. Le bâton revint docilement auprès du garçon.

– Maintenant, Barbedette, ordonna Lanik, libère les trois sœurs et leur frère.

A la seconde, les trois naines se levèrent et se transformèrent en trois adorables demoiselles d'une beauté extraordinaire. Le garçon les contemplait d'un air stupide, lorsque le chien s'ébroua, et devint un jeune homme charmant qui vint lui toucher l'épaule avec affection, et lui demanda :

– Comment trouves-tu mes sœurs ?

– Elles... elles sont... belles... bredouilla Lanik.

Il admirait surtout la plus jeune des trois, celle qui portait une robe rose et qui lui souriait avec gentillesse.

– Allons délivrer tes frères, proposa le chien.

Ils s'engagèrent dans la coursive, le bâton effleurait les tiroirs et les ouvrait tous. Puis ils descendirent l'escalier et le bâton toucha les statues : elles respirèrent soudain, s'étirèrent, retrouvèrent couleurs et vie. Jean et François se tournèrent vers leur frère cadet, mais leurs yeux tombèrent sur les belles jeunes filles debout gracieusement auprès de lui.

– Ah ! fit Jean.

– Ah ! fit François.

Le frère des demoiselles s'approcha de Lanik.

– A présent, dit-il, tu vas jeter le bâton dans la cour.

Lanik ne comprenait pas pourquoi, mais il avait confiance. Il s'approcha de la porte qui s'ouvrit sur le sable de la crique. L'air marin entra dans le cargo, et le bruit lancinant de la mer avec lui. Les flots battaient le rocher, c'était une vieille lutte amoureuse entre terre et mer, une lutte interminable et splendide. Le garçon regarda les vagues au loin sous la lune ; des franges d'écume illuminées glissaient jusqu'au rivage. Il ferma les yeux :

– Maintenant, jette le bâton, murmura son nouvel ami.

Le garçon jeta le bâton sur le sable, il s'y planta debout. Alors, la mer gonfla et monta, se mit à lécher le sable de la crique, elle venait très vite. Lorsqu'elle toucha le cargo, la porte se referma. Les passagers se rassemblèrent sur le pont. La mer avait encore enflé ; elle soulevait le bateau transformé en un yacht flambant neuf de plus de vingt-cinq mètres de longueur. Elle envahissait la crique, atteignit la ligne de flottaison du navire extraordinaire, qui se mit à vibrer doucement. Les flots le berçaient sous la lune. Les vagues effleuraient sa coque blanche. Le bateau glissa, porté hors de la crique. Le premier, Lanik avait pris la main de la demoiselle à la robe rose, et ses frères s'enhardirent jusqu'à caresser les doigts de celles qu'ils avaient aimées dès le premier regard. Le yacht voguait sur la mer immense. Il entamait ainsi autour du monde une croisière merveilleuse, qui allait durer très longtemps...

La ligne blanche

Les diables organisaient un concours à qui embêterait le plus les humains. Chaque diablotin avait imaginé sa méchanceté. L'un éventrait les bateaux pneumatiques des baigneurs, l'autre apparaissait la nuit sur la jetée aux promeneurs, en poussant des cris terrifiants, un troisième attachait entre eux les souliers des badauds, arrêtés devant les magasins. Mais le diablotin qui tenait la tête du concours avait peint un tableau spécial, à donner la colique à ceux qui le voyaient. Il l'avait exposé à l'entrée du port, et tous les marins qui rentraient, s'oubliaient dans leurs pantalons. Cela déridait les diables (et certains humains, il faut l'avouer – surtout ceux qui n'avaient pas regardé le tableau !), et tout le monde des enfers s'accordait à décerner le premier prix de malveillance au diablotin barbouilleur, lorsqu'un diablotin jaune leva sa patte griffue.

– Minute les ennemis ! (Car chez eux, les amis, ce sont les ennemis.) J'ai imaginé moi-même un bon tour, et je vous propose d'en examiner les effets. Rendez-vous sur le bord de mer.

Là-dessus, il se retira en faisant poliment la grimace à la compagnie intriguée. Muni d'un pot de peinture blanche, il monta chez les hommes par la cave de la librairie. Il faisait encore nuit dehors. Les réverbères dessinaient une ligne glauque le long de la rue de la Plage, et la mer rampait sur la grève en toute solitude.

Notre diablotin trempa sa queue fourchue dans le pot de peinture blanche. Plusieurs diablotins débouchaient à leur tour de la cave de la librairie.

– Que fait-il, ce sensé ? interrogea l'un. Il est devenu intelligent ? (Ce qui, chez les humains, pourrait se traduire par : que fait-il ce crétin ? Il est devenu fou ?).

Mais le diablotin jaune restait indifférent aux commérages, c'est toujours ainsi qu'on procède, quand on a une œuvre à mener à bien. De sa queue enduite de peinture, il traça un trait en travers de la rue. Parvenu au trottoir, il continua le trait sur le parapet de pierre et, sautant sur le sable de la plage en contrebas, il le prolongea jusqu'à la mer. Il revint jeter le pot de peinture dans une poubelle, à l'indignation de ceux qui le regardaient faire.

– Oh ! il pourrait jeter ça dans l'eau comme tout le monde, ce cochon ! (Traduisez : ce propre !)

Le diablotin cracha sur sa queue pour la nettoyer. Les diables curieux le virent tirer de sa poche un par-dessus pied-de-poule, des pantalons longs, un chapeau haut-de-forme et des lunettes noires. Ainsi déguisé en humain, il s'assit sur le parapet et n'en bougea plus, comme s'il contemplait les flots. Le soleil se levait à l'horizon, les mouettes tournoyaient autour des chalutiers amarrés, en quête de poisson jeté par les hommes.

– Qu'est-ce qu'il fait, ce malin ? se demandaient les diables.

– Il se déguise pour stationner face à la mer incognito, supposa l'un.

– Mauvaise idée ! approuvèrent les autres.

Et ils tirèrent de leurs poches toutes sortes de manteaux, imperméables, chapeaux et lunettes noires afin de l'imiter. Ils s'assirent sur le parapet de pierre de la plage, et s'amusèrent à cracher dans l'eau de mer à plus de vingt-cinq mètres. Il y en eut même un qui y fit pipi et, à cette distance, c'était une prouesse – essayez !

A part ça, il ne se passait rien. Les mouettes volaient comme des andouilles dans le ciel de plus en plus clair, et la mer bleuissait. Bientôt, le soleil gratta les toitures des villas. Le carillon de la mairie sonna six coups puisqu'il était presque sept heures, car l'horloge battait la breloque. Alors le diablotin jaune se leva, s'étira et cracha en l'air sur un cormoran, qui piqua en mer comme un avion de chasse abattu.

– Attention ! se dirent les diablotins. Les humains ne vont plus tarder à venir faire bronzette sur la plage.

Justement, le père Markale ouvrait le bar des Marins à une centaine de mètres. Il ne manqua pas de repérer la bande d'ostrogoths et le trait de peinture blanche, qui barrait la rue et la plage.

– Humph ! grogna-t-il. Ces zozos ne sont pas de chez nous. Qu'est-ce qu'ils mijotent ?

Il entra ranger ses volets de bois dans l'arrière-boutique, et ressortit reluquer les olibrius. Ils avaient des allures bizarres, en manteaux à la mi-août, et, à y regarder de plus près, les queues fourchues qui pendaient par-dessous, incitaient à la réflexion.

– Humph ! s'écria le père Markale en se grattant l'occiput sous sa casquette de matelot. Voilà une collection de sagouins qui ne me dit rien qui vaille !

Ils paraissaient attendre. Mais quoi ? Le père Markale courut décrocher le téléphone et il appela le maire :

– Allô ! monsieur Bolloré ! Il y a une vingtaine de diables rue de la Plage !

Le maire ne le prit pas au sérieux.

– Bien, dit-il. Faites-les tricoter.

– Hein ? fit le père Markale.

– Oui ! dit le maire en éclatant de rire. Une maille à l'endroit, une maille à l'enfer ! Ha, ha, ha !

Et il raccrocha le téléphone. Le père Markale revint se poster derrière la vitrine de son bar. Le diable jaune était debout sur le parapet de pierre, et montrait du doigt un humain qui venait dans la rue en chantant *La Paimpolaise.* C'était Le Braz, le facteur, qui commençait sa tournée. Il marchait d'un bon pas, et jetait les lettres dans les boîtes. Tous les autres diables se levèrent. Qu'espéraient-ils ?

Le pied droit du facteur dépassa la ligne de peinture. Son genou dépassa la ligne. Son corps la franchit tout entier. Et le facteur Le Braz changea de sexe ! Incroyable ! Il était devenu une factrice qui chantait d'une voix de soprano : « Je vais revoir mon Paimpolais » au lieu de : « Je vais revoir ma Paimpolaise. » Tous les diables éclatèrent de rire. Le facteur-trice ne s'était rendu compte de rien, et poursuivait sa mission pététesque, ragaillardi par la perspective d'un petit verre de rhum au bar des Marins. Il avait perdu ses moustaches, et gagné des cheveux longs et une belle poitrine. Le père Markale vit ce personnage inconnu s'introduire dans son bar, en brandissant une carte postale :

– Bien le bonjour père Markale ! Voilà z'une carte postale de votre copain Picollec ! Je ne l'ai pas lue, mais il dit qu'il viendra vous voir le dix-huit, si sa voiture est réparée.

– Humph ! Bonjour madame, répondit Markale avec embarras.

– Hein ? dit le facteur en se retournant, car il ne savait pas qu'il était devenu femme. C'est à moi que vous parlez ?

– Mais oui, dit Markale.

– Et qu'est-ce qui vous prend ? ricana Le Braz. Vous n'êtes pas dans votre assiette ?

– Humph ! non, madame. Humph ! A qui ai-je l'honneur ?

– Mais pourquoi s'entête-t-il à m'appeler madame, cet animal s'emporta le facteur-trice de sa voix de fausset.

Il s'aperçut dans le miroir derrière le comptoir, et recula d'un pas en sursaut.

– Hé ! holà ! Qu'est-ce que... ?

– Excusez-moi, madame, dit le père Markale. Qu'est-ce que je vous sers ?

– Mais je suis Le Braz ! Le facteur !

– Le farceur, plutôt ! grommela le père Markale.

Il se grattait la tête avec le crayon qu'il calait habituellement derrière son oreille. Le facteur-trice avait pâli en découvrant son reflet. Il se tâtait partout avec étonnement, et surtout en bas, là où se trouve la preuve qu'une personne, est d'un sexe ou de l'autre. Il poussa un cri déchirant :

– Ah ! je l'ai perduuu ! Mon ziziii ! On me m'a voléé !

Il fit volte-face et s'enfuit hors du bar à grandes enjambées.

– Je suis malaaade ! Je vais me coucher ! Le courrier attendra !

Il déguerpissait. Le père Markale se tint sur le pas de sa porte pour le suivre du regard. Il le vit se diriger en sens inverse vers le trait de peinture, où les diables riaient à gorge déployée.

– Ces zinzins, grommela-t-il, je me demande ce qu'ils font !

Au même instant, il écarquilla les yeux : Le Braz repassait la ligne blanche, et redevint un homme. Il continuait sa route sans s'en rendre compte. Le père Markale courut boire un coup de vin blanc au comptoir, pour se remettre les idées en place..

– Humph ! j'ai la berlue ! s'écriait-il.

Une dame en robe légère et son sac de plage sous le bras marchait vers la ligne blanche. Le père Markale vit les diables s'esclaffer à son approche. La dame descendit sur la plage par un petit escalier aménagé dans le parapet de pierre, mais le groupe ricaneur ne la quittait pas des yeux. Elle ôta ses souliers pour marcher pieds nus sur le sable en direction d'une cabine de bain.

Elle passa la ligne de peinture. Le père Markale ne put retenir un cri : elle était devenue un monsieur, avec barbe et moustache et tout ! Elle n'avait rien remarqué.

Elle entra dans la cabine.

– Aïe-aïe-aïe ! fit Markale en levant les bras au ciel.

Un hurlement strident retentit ! La dame jaillit hors de la cabine de bain comme une folle – pardon, comme un fou ! Les mouettes s'envolaient devant *elle-lui,* en piaillant de peur ! *Elle-il* gesticulait et courait sur la plage ! Au secours ! au secours !

Les diables se tordaient de rire, et se bourraient de coups de poing et de coups de coude complices ! Leur victime était resté(e) torse nu, puisqu'elle était un homme, mais voilà qu'en repassant la ligne, elle retrouva son sexe, et que ce qu'elle aurait dû tenir caché, ballottait à la vue de tout le monde ! Ah ! la femme hurlait ! Elle fila s'enfermer chez elle !

– Aïe-aïe-aïe ! s'écria Markale.

La plage était encore déserte, mais dans un peu moins d'une heure, elle serait peuplée de vacanciers ! On courait à la catastrophe ! Markale décrocha le téléphone.

– Allô ! monsieur Bolloré ! Ça y est ! Les diables attaquent ! Ils changent le sexe des baigneurs !

– Hein ? Quoi ? Que dites-vous ?

– Ils transforment les hommes en femmes et réciproquement ! Venez vite !

– Vous vous moquez de moi ?

– Appelez les pompiers, monsieur notre

maire ! Dites-leur de venir en robes s'ils traversent la ligne, ils auront moins l'air ridicule !

Markale raccrocha le téléphone. Rue de la Plage, un garçon franchissait la ligne blanche à bicyclette, et une fille en sens inverse à vélomoteur. Ils se transformèrent en même temps, ce qui les fit rire l'un de l'autre puisqu'ils se regardaient. Mais aucun des deux ne s'aperçut de son changement personnel, et ils poursuivirent leur chemin. Les diables étaient malades de rire et se roulaient par terre.

– Tas de gougnafiers ! cria le père Markale indigné.

N'écoutant que son courage, il attrapa son balai et courut vers la ligne blanche en le brandissant. On aurait pu croire qu'il disputait une course, et faisait l'effort d'arriver le premier. Les diables s'esbaudissaient, dansaient en se tenant par la barbichette. A la vue du père Markale, ils s'égaillèrent et se réfugièrent dans les caves des villas les plus proches.

– Bande de sacripants ! vociférait Markale. Mille binious ! Humph, humph, humph !

Essoufflé, il toussait. Ces sports-là n'étaient plus de son âge et il fumait trop.

– Humph, humph, humph ! expectorait-il, tourné vers les diables devenus invisibles – mais qu'il entendait pouffer de rire. Que je vous y reprenne, galopins !

Un groupe de jeunes gens venait sur la plage en riant à la vue du bonhomme qu'ils voyaient crier contre les villas.

– Et alors, père Markale, vous parlez tout seul ? disaient-ils.

– Vous insultez les courants d'air ? ajoutait un autre.

– Il imite don Quichotte contre les moulins à vent ! fit une demoiselle.

– Hein ? fit le père Markale.

Les jeunes gens s'assirent sur le sable pour se déshabiller.

Le père Markale les regardait en se grattant la tête.

– Bonjour monsieur Markale ! lança une voix. Vous reluquez la jeunesse en train de se dévêtir à présent ?

– Hein ? Heu...

Le père Markale se retourna. La femme du bibliothécaire arrivait en poussant devant elle le landau de son petit garçon.

– Non, se défendit le père Markale tandis que les jeunes éclataient de rire sur la plage, figurez-vous qu'il y avait une bande de di...

Il s'interrompit car la femme du bibliothécaire venait de franchir la ligne, et était devenue un monsieur. Le garçonnet était une fillette, et les diables se décrochaient les mâchoires, à force de s'esclaffer dans les caves. La bibliothécaire n'avait pas remarqué sa propre métamorphose, mais elle vit son rejeton chéri devenir une rejetonne, et poussa un cri délirant :

– Ah ! Gaël ! mon pioupiou !

Le pioupiou avait des cheveux longs et bouclés. Les diables devaient se frapper les cuisses en pleurant de rire, on les entendait par les soupiraux.

Le groupe des jeunes gens sur la plage s'était retourné, attentif. Certains s'agrippaient au parapet de pierre, hissés en appui sur les coudes pour mieux voir. Deux s'en allaient gaiement vers la mer, et s'apprêtaient à passer la ligne blanche tracée sur le sable. Le père Markale les interpella :

– Vous là-bas ! Arrêtez ! N'allez pas plus loin !

– Et pourquoi ? répliquèrent-ils. La plage appartient à tout le monde !

– Je ne prétends pas le contraire ! leur cria Markale. Mais ne traversez pas la l...

Trop tard ! Les garçons traversèrent la ligne blanche par provocation, et voilà qu'ils avaient de la poitrine et des cheveux longs ! Ils poussèrent des cris aigus ! Leurs camarades alertés se retournèrent, s'élancèrent à leur aide en courant sur la plage...

– Non ! Attendez ! Revenez ! appela Markale.

Peine perdue ! La bande franchit la ligne ! Les garçons devinrent des filles aussitôt et les filles des garçons ! La pagaille était à son comble.

– Revenez ! leur criait Markale. Repassez la ligne !

Dans la rue, la femme du bibliothécaire était pétrifiée.

– Repassez la ligne blanche ! lui conseilla le père Markale.

Mais la dame-monsieur était pétrifiée. Son bébé sous le bras, elle n'écoutait pas. Le père Markale fonça en avant.

– J'arrive !

Un héros !

Il rejoignit la mère, l'accrocha par le bras et la remorqua de l'autre côté de la ligne, où elle retrouva son état et son petit garçon. Elle ne comprenait pas ce qui s'était passé. Le père Markale lui faisait de grands sourires pour la réconforter, mais il ne réussissait qu'à l'effrayer, parce qu'il était devenu... la mère Markale ! La femme du bibliothécaire s'écarta de *lui-elle* comme s'*il-elle* avait la peste, et, marchant à reculons avec son landau, s'éloigna sans quitter des yeux cet homme-femme. Le père-mère Markale lui faisait coucou de la main. Elle tourna soudain les talons et s'enfuit.

– Viens vite mon Gaël ! Ne nous attardons pas dans cette rue de fous !

Les diables gloussaient dans les caves tandis que sur la plage, la folie régnait. Tout le monde courait en tous sens, et ceux qui franchissaient la ligne changeaient de sexe. Le père Markale s'examina d'un air perplexe. Il devinait les yeux lumineux des diablotins dans l'ombre des soupiraux proches.

– C'est malin ! leur dit-il en secouant la tête.

Les pompiers s'amenaient. Pim-pon-pim-pon. Le père Markale alla au-devant d'eux, et redevint lui-même en repassant la ligne. La voiture du maire suivait le véhicule de premiers secours, celle du commissaire de police fermait le cortège. Les hommes se retrouvèrent sur le trottoir.

– Alors ? interrogea le maire.

– Alors voyez ! dit Markale en montrant la plage d'un ample mouvement du bras.

Les baigneurs et les baigneuses affolés, couraient et se bousculaient comme des fourmis sur une fourmilière dévastée. Le commissaire de police attrapa un mégaphone dans sa voiture et cria :

– Repassez la ligne dans l'autre sens ! Exécution !

Alors tout le monde obéit, chacun retrouva son apparence habituelle. Les baigneurs comprenaient le jeu à présent, et ils s'amusaient. Le père Markale regagna son bar en grognant. De nombreux clients et clientes l'y attendaient, pour se remettre de leurs émotions. Le maire offrit une tournée aux pompiers. Toute la matinée, les baigneurs et baigneuses (quelquefois les mêmes qui changeaient d'identité) défilèrent dans le bar boire un coup et se regarder dans le miroir. Ils riaient, se faisaient photographier. Le soleil était de la fête. La foule envahissait la plage et se métamorphosait par plaisir. Ce n'était pas grave, puisque ceux qui avaient franchi la ligne dans un sens la refranchissaient dans l'autre peu après – sauf deux touristes japonais qui ne faisaient que passer, un homme et sa femme, qui devinrent une femme et un homme, et regagnèrent Tokyo sans se rendre compte de rien. Mais ça ne sortait pas de la famille, les douaniers n'y virent que du feu.

Tout le monde se divertissait – sauf les diables. Au début, l'égarement des humains les avait enthousiasmés. Lorsqu'ils comprirent que l'affaire devenait un jeu pour eux, et qu'ils sautaient la ligne joyeusement (il y en eut même qui marchèrent à cheval dessus pour être homme à gauche, femme à droite !), ils froncèrent les sourcils et redescendirent aux enfers. Ils étaient franchement écœurés. Ils disaient des hommes tout le bien qu'on peut imaginer (comprenez tout le mal). Et ce fut le diablotin peintre du tableau qui reçut la palme, attendu que lui, avec son chef-d'œuvre, continuait de faire mal au ventre aux amateurs d'art.

Le temps effaça la ligne blanche. Dommage. Elle attirait les télévisions en quête de sensationnel, et des tas de touristes. C'était excellent pour la ville, à ce que prétendait monsieur le maire. A quoi le père Markale ajoutait, que c'était excellent pour le commerce.

On n'avait rien dit au facteur Le Braz. Il garda la chambre plus de trois semaines.

La fille du roi des morgans

Les morgans nageaient à proximité du chalutier sur la mer tranquille.

– Jamais vu autant de morgans ! dit le vieux Lohic, un pêcheur, les dents pincées sur sa pipe de bois.

– Je me demande ce qu'ils attendent, murmura Petit-Louis.

– Nous n'avons pas pêché grand-chose aujourd'hui, fit Maël. Si nous capturions un morgan, nous le vendrions un bon prix.

– N'y compte pas, dit le vieux Lohic. Les morgans ne se laissent pas attraper.

– Ça ne me plairait pas d'en faire souffrir un, ajouta Petit-Louis.

Les morgans, une vingtaine, mi-hommes mi-poissons nageaient de conserve, le corps (humain) un peu au-dessus de l'eau, et la longue queue (de poisson) battant les flots argentés.

– Ce sont des créatures étonnantes, fit Youenn, occupé à décrocher quelques rares dorades du chalut, pour les jeter en cale.

– Regardez ce que je viens de trouver ! s'écria Petit-Louis.

Il montrait un anneau d'or torsadé, un travail d'orfèvrerie ancien et bizarre.

– Où l'as-tu trouvé ? demanda le vieux Lohic.

– Il est tombé de la gueule d'une dorade, dit Petit-Louis.

Le vieux Lohic hochait la tête. Petit-Louis enfila l'anneau à son annulaire gauche pour l'essayer. Il s'y ajustait bien.

– Ma pointure ! dit-il en élevant la main.

– Hé ! Les gars ! Regardez ! Les morgans !

Youenn venait de crier. Un murmure étrange bourdonnait sur les flots : c'étaient les morgans qui le produisaient. Le père Lohic fronça les sourcils en tirant une bouffée de fumée de sa pipe.

– Ça ne me dit rien qui vaille, murmura-t-il entre ses dents serrées.

– Là ! Voyez ! Une morgane !

Une belle jeune morgane venait de surgir des eaux vertes ; ses longs cheveux blonds, ornés de nacre et de corail rose, flottaient sur son buste et ses épaules nues.

– Quelle belle fi... commença Petit-Louis, mais il se reprit, car il s'agissait d'une morgane et non d'une jeune fille. Quelle pitié, soupira-t-il, qu'elle porte cette queue de poisson !

Il hochait la tête, lorsque la morgane fit entendre un chant mélodieux.

– Taisez-vous, matelots ! dit le vieux Lohic.

Le chant de la morgane s'élevait au-dessus du murmure des autres morgans, comme une voix soliste au-dessus d'un chœur. Et soudain, le chant s'interrompit, la morgane parla :

– Tu as trouvé mon anneau, ô mon fiancé....

– Hein ? dit Petit-Louis...

– Je suis la fille du roi des morgans, j'ai perdu mon anneau d'or. Tu l'as retrouvé et tu le portes, ô mon fiancé...

– Mais ? dit Petit-Louis penché au bastingage, et il prenait ses camarades pêcheurs à témoin. Qu'est-ce qu'elle raconte ?

– Tu ferais mieux de lui rendre son anneau, fit le vieux Lohic.

– Je veux bien, dit Petit-Louis.

Il attrapa l'anneau pour l'ôter, mais n'y parvint pas. Il eut beau tirer dessus, l'anneau résista.

– Ne cherche pas à l'ôter, ô mon fiancé, reprit la morgane en dansant sur la mer. Tu ne le pourrais pas car l'anneau est magique. Tu devras le garder, nous serons unis pour toujours...

– Mais ? dit Petit-Louis interloqué.

Il cherchait encore à ôter la bague.

– Ne tourne jamais l'anneau sur la gauche ! lui recommanda la morgane d'un ton subitement effrayé.

Elle s'était élevée au-dessus de l'eau, sa longue queue gracile la maintenait en équilibre...

– Pourquoi ? demanda Petit-Louis...

– Tourne l'anneau vers la droite chaque fois que tu voudras me voir, ô mon fiancé, et j'arriverai ; mais ne le tourne jamais vers la gauche !

– Ne le tourne jamais vers la gauche ! répétèrent les autres morgans.

– Mais pourquoi ? s'écria Petit-Louis. Pourquoi ?

– Tu libérerais le Krakken ! s'écria la morgane avec effroi, et les autres morgans répétèrent avec la même peur : le Krakken ! Le Krakken !...

– Le Krakken ! dit Petit-Louis. Qu'est-ce que c'est ?

Déjà, les morgans plongeaient dans la mer. La fille du roi des morgans se retourna souplement, fit un geste gracieux de la main, et s'y enfonça à son tour. Elle plongea, disparut dans les ondes. Petit-Louis et ses camarades se regardaient avec hébétude.

– Le Krakken ? disait Petit-Louis. Qu'est-ce que c'est ?

Le vieux Lohic hocha la tête.

– J'ai entendu une fois un marin anglais en parler... Je croyais qu'il s'agissait d'une légende....

– Qu'est-ce que c'est ?

– Un monstre incroyable, paraît-il...

– En tout cas, s'écria Petit-Louis, je vais me débarrasser de cet anneau ! Passe-moi le savon, Maël !

– Ne le tourne pas vers la gauche ! fit Youen en adressant un clin d'œil complice aux autres. Appelle plutôt ta « fiancée » pour lui demander de nous aider à faire une bonne pêche.

Mais Petit-Louis n'avait pas envie de rire. Il tirait sur l'anneau de toutes ses forces en savonnant son doigt au-dessus du seau d'eau.

– Je n'arrive pas à le faire coulisser ! dit-il. Il se resserre autour de mon doigt.

– La morgane ne veut pas que tu le perdes ! ricana Youenn.

– Ne plaisante pas, dit le vieux Lohic. C'est peut-être la vérité...

Il surveillait la mer en fumant sa pipe. Les flots étaient déserts jusqu'à l'horizon. Maël vint le rejoindre, appuyé au plat-bord. Il baissa la voix, comme s'il craignait d'être entendu :

– Je me demande où vivent les morgans...

– Là-dessous, dit le vieux Lohic.

Maël se pencha ; sous les eaux bleues, on devinait des fulgurances lointaines vert émeraude, des formes lumineuses vert opale....

– Il y a au moins cinq cents brasses de fond ! dit Maël.

– Davantage, dit le vieux Lohic.

Petit-Louis ne parvenait pas à se libérer de l'anneau. Il rejoignit ses camarades.

– Père Lohic, demanda-t-il, qu'est-ce qui m'arrive ?

– M'est avis que la fille du roi des morgans t'a choisi pour époux, mon gars...

– Mais je ne peux pas épouser... un poisson !

Le vieux Lohic haussa les épaules.

– Apparemment, fit-il remarquer, elle ne te demande rien...

Machinalement, Petit-Louis tripotait l'anneau. Il le fit tourner vers la droite. Aussitôt, la mer moutonna, les morgans jaillirent des profondeurs. Ils escortaient la fille du roi.

– Tu m'as appelée, ô mon fiancé ? demanda-t-elle.

– Heu ! non, dit Petit-Louis. J'ai manipulé l'anneau sans faire attention.

– Prends garde de ne pas le tourner vers la gauche ! s'écria la morgane avec effroi.

– Non, non, dit Petit-Louis.

Et il ajouta précipitamment :

– J'aimerais mieux vous le rendre !

– Je ne puis le reprendre, dit la fille du roi. Je

l'avais perdu. Mon père décida que celui qui le trouverait, devrait le garder pour toujours. En le passant à ton doigt, humain, tu nous as fiancés...

– Mais c'est impossible ! s'écria Petit-Louis. Je suis un homme et tu... tu... (il hésitait)... tu es à moitié poisson !

Les morgans plongeaient dans la mer.

– Attends ! cria Petit-Louis en voyant la belle morgane se retourner pour glisser au fond de l'eau avec eux. Attends ! Heu... je voudrais que tu nous aides à faire une bonne pêche.

Il disait cela pour la retenir. Mais la fille du roi des morgans frappa dans ses mains, et son escorte revint à la surface des eaux. Ensemble, ils se dressèrent au-dessus des vaguelettes, et se mirent à gifler les flots de leurs longues queues. L'eau bouillonnait d'écume autour d'eux. Soudain, un premier poisson en jaillit et sauta sur le pont du chalutier. Un deuxième le suivit aussitôt. Un troisième...

– A la manœuvre, les gars ! appela joyeusement le vieux Lohic.

Les marins-pêcheurs se mirent au travail, car les poissons pleuvaient maintenant comme grêle sur le pont. En quelques minutes, ils en eurent rempli les cales du bateau. Alors, les morgans cessèrent de pêcher. Petit-Louis dévisageait la belle morgane, elle était si belle...

– Belle princesse ! lui dit-il. Je t'en supplie ! Reprends ton anneau !

– Je ne le puis ! répliqua-t-elle. (Et elle ajouta :) Ne le tourne jamais vers la gauche ! Jamais vers la gauche !

Elle se replia et plongea. Petit-Louis regardait

tristement la mer désertée. Le vieux Lohic lui toucha l'épaule.

– Ne te fais pas de souci, mon gars. La morgane ne semble pas avoir de mauvaises intentions contre toi...

– Nous ferions mieux de ne pas nous attarder, fit remarquer Maël. Il se prépare un grain !

Le temps avait changé, les matelots n'y avaient pris garde. Des rideaux brumeux gris et mauves s'étaient épaissis sur la mer autour du chalutier, et les eaux se balançaient, dansaient, clapotaient contre la coque.

– Mets le moteur en marche ! ordonna Lohic à Maël. A présent, nous regagnons le port...

Le moteur se fit entendre. La mer grondait, menaçante. Des vagues secouaient le chalutier par le travers, le soulevaient soudain pour le rabaisser l'instant d'après dans des creux inattendus. L'équipage s'accrochait aux armatures du treuil et à l'abri de navigation. Les vagues puissantes criaient de plus en plus fort, acharnées contre l'embarcation. Le ciel était devenu presque noir, et les eaux prenaient des teintes violines en crachant des paquets d'écume. Les marins s'effrayèrent...

– Jamais vu pareille tempête ! s'écria le vieux Lohic en fourrant sa pipe mouillée dans sa poche.

– Appelle la morgane ! cria Maël à Petit-Louis. Appelle la morgane !

– Oui ! appelle la morgane ! répéta Youenn. Elle nous aidera ! Ses pouvoirs sont extraordinaires !

Le bateau roulait bâbord sur tribord, chassé de poupe en proue, rejeté brutalement de flanc lorsqu'une vague traîtresse le percutait. Des trombes d'eau retombaient sur le pont, et les hommes étaient trempés, giflés, fouettés, par des déferlantes. Le chalutier menaçait de couler, le fracas des flots était assourdissant.

– Appelle la morgane ! conseilla à son tour Lohic. Appelle-la !

Petit-Louis tourna son anneau vers la droite. Les morgans jaillirent hors des eaux brunes ; ils étaient ballottés par la mer déchaînée mais n'en avaient cure. La fille du roi vint nager auprès du bateau...

– Tu m'as appelé, ô mon fiancé ? demanda-t-elle.

– Oui ! cria Petit-Louis pour dominer le tintamarre des eaux furieuses. Peux-tu apaiser la mer ?

– Je le peux, ô mon fiancé, dit la morgane.

Elle s'éleva au-dessus de l'onde et se mit à caresser la surface de sa longue queue gracile. Les autres morgans l'imitèrent. Les flots démontés se mirent à danser. La mer, comme un animal rétif, s'adoucit, sa respiration se fit plus lente. En quelques minutes, elle reposa. Le chalutier flotta de nouveau sur une étendue liquide plate comme une plaine, et tranquille...

– Merci, dit Petit-Louis...

– Appelle-moi quand tu veux me voir, ô mon fiancé, lui dit la morgane. Mais ne tourne pas l'anneau vers la gauche...

– Ne tourne pas l'anneau vers la gauche, répétèrent les morgans.

Ils plongèrent. Petit-Louis se pencha par-dessus bord, et vit la fille du roi s'enfoncer dans les couleurs bleues. Il la perdit de vue rapidement. Au fond des flots on devinait des transparences, des formes floues, le palais du roi des sept mers était peut-être là. Le jeune homme essayait d'y voir...

– Tu n'y verras rien, lui dit le vieux Lohic. Personne n'y verra jamais rien...

Le chalutier repartit. Le ciel était dégagé, la mer étale. Petit-Louis demeurait pensif au bastingage. De la main droite, il triturait l'anneau d'or. Il pensait à la belle morgane. Pourquoi fallait-il qu'elle fût en partie poisson ? Il secouait la tête en reniflant de contrariété. La morgane lui plaisait beaucoup. Il tourna l'anneau d'un geste inconscient vers la gauche...

– Hé ! cria le vieux Lohic en sentant le bateau subitement secoué par une lame de fond, alors que la mer était d'huile.

– Qu'est-ce qui... ? s'écrièrent Maël et Youenn déséquilibrés.

Petit-Louis était blême et les regardait sans un mot. Ils comprirent tout de suite.

– Petit-Louis ! s'écria le vieux Lohic. Tu n'as pas... ?

Un grondement formidable monta des entrailles de la mer. Une forme géante et noire passa sous les eaux à des centaines de mètres de profondeur. Elle se déplaçait comme une otarie gigantesque, plusieurs centaines de mètres de longueur ! Elle allait vite !

– Le Krakken ! s'écria le vieux Lohic en faisant un signe de croix.

– Le Krakken ! répétèrent les autres hébétés.

Le monstre noir fusait sous la mer avec un

grondement terrifiant, et les flots en étaient troublés en surface. Le bateau roula bord sur bord.

– Attention ! Il émerge ! Droit devant ! cria le vieux Lohic.

Le monstre sourdait des profondeurs, loin devant le chalutier. Une véritable montagne jaillit hors des flots écumants avec un hurlement strident ! C'était la gueule du Krakken, noire et incrustée de coquillages, pointue comme un museau de rat formidable ! La tête hideuse et craquelée monta à plus de cinquante mètres au-dessus de la mer ; les dents redoutables déchiquetaient encore le cadavre pantelant et ensanglanté d'une baleine. Des bras couverts d'écailles brunes battirent les flots, déchaînèrent des houles dangereuses. L'horrible créature libérée avait heureusement dépassé le chalutier et replongea aussitôt, poursuivant sa course infernale vers le nord. Sur l'embarcation malmenée, les pêcheurs étaient accablés. Ils virent l'ombre noire s'éloigner sous les eaux...

– Le Krakken ! criait Petit-Louis. Le Krakken !

– Il ravagera les mers et les côtes ! Il fracassera les navires ! s'écria Youenn. Il détruira les ports et les habitations !

– C'est ma faute ! s'écria Petit-Louis. C'est ma faute !

Il fermait les yeux de douleur et de colère contre lui-même. Le Krakken incroyable venait de reparaître hors de l'eau, loin à l'horizon, plusieurs milles devant, et sondait à nouveau, en route pour des rivages lointains.

– Branche la radio ! cria le vieux Lohic à Maël. Qu'on apprenne s'il attaque quelqu'un !

Les vagues soulevées par l'animal fantasmagorique et mauvais, venaient heurter le chalutier. La radio pour l'instant, ne signalait rien d'anormal...

– Appelle la morgane ! Appelle la morgane ! dit Maël.

Petit-Louis, affolé, tourna son anneau vers la droite. Les morgans sortirent des flots, mais ils

n'escortaient pas la fille du roi. Elle n'était pas là.

– Où est-elle ? Où est la fille du roi ? cria Petit-Louis désespérément.

Les morgans ne répondirent pas.

– Il faut qu'elle arrête le Krakken ! Demandez-lui de venir ! Vite !

A l'horizon, le Krakken refaisait surface et replongea. Alors les morgans murmurèrent.

– Seul le roi des mers a le pouvoir d'arrêter le Krakken, disaient-ils. Mais il ne peut le faire sans l'anneau...

– Prenez-le ! Prenez-le ! cria Petit-Louis. Je ne veux pas le garder !

Et il essayait encore de s'en débarrasser, sans y parvenir. Il tirait sur son doigt de toutes ses forces. Il s'effondra, à genoux sur le pont, la tête entre les mains.

– Je n'y arrive pas ! Je ne peux pas l'ôter !

On entendait la radio du bord signaler une tempête au large et des vagues énormes, sans savoir ce qui la provoquait. Petit-Louis songea qu'un véritable raz de marée risquait de déferler sur les côtes, lorsque le monstre passerait à l'attaque. Il imagina les ravages que la bête immonde allait faire...

Il sauta soudain sur pied avec une résolution terrible dans le regard. Il attrapa un couteau à écailler, dans la main droite, étala sa main gauche sur le bastingage :

– Youenn ! appela-t-il. Viens ici !

– Quoi ?

– Prends le couteau ! Tranche-moi l'annulaire !

– Hein ? Tu es fou ! s'écria Youenn en reculant.

– Tranche-moi le doigt ! criait Petit-Louis. C'est la seule façon d'arrêter le Krakken ! Tu comprends ! Il faut rendre l'anneau au roi des sept mers ! Tranche-moi l'annulaire !

– Mais... je... Non ! dit Youenn.

– Donne-moi le couteau, exigea soudain le

vieux Lohic en rejoignant les deux camarades. Moi, je vais le faire. Vous, Youenn et Maël, cramponnez Petit-Louis !

Les deux matelots immobilisèrent Petit-Louis de toutes leurs forces réunies. Le vieux Lohic avait tiré son briquet de sa poche, et passait la flamme sur la lame du couteau.

– Je vais te faire mal, dit-il à Petit-Louis.

– Je le sais ! Coupe ! lui cria Petit-Louis. Je ne veux pas que ce maudit Krakken dévaste le monde !

Il ferma les yeux. Le vieux Lohic abaissa le couteau et, d'un geste précis, trancha l'annulaire. Le sang gicla. Petit-Louis poussa un cri étouffé, s'évanouit. Ses deux camarades le portèrent à l'abri, et pansèrent la plaie aussitôt. Le vieux Lohic contemplait le doigt resté sur le plat-bord. Il le prit entre le pouce et l'index, l'anneau serré dessus. Il le brandit dans la direction des morgans.

– Morgans ! les apostropha-t-il. Rapportez l'anneau au roi des sept mers ! Racontez-lui le sacrifice de Petit-Louis et suppliez-le d'arrêter le Krakken ! Allez !

Il jeta le doigt dans les flots. Les morgans plongèrent. Le chalutier poursuivit sa route maritime. Les morgans avaient disparu. Le vieux Lohic ralluma sa pipe et vint retrouver les pêcheurs. Ils entouraient Petit-Louis qui délirait, proférait des mots sans suite : les morgans... l'anneau d'or... la fille du roi... comme elle est belle... belle... fiancé... Krakken... le Krakken... il ne faut pas... c'est ma faute... il faut...

– Ah !

Petit-Louis cria et ouvrit les yeux.

– Ça va, mon gars, dit le vieux Lohic. Youenn, fais-lui boire un peu de *lambig*...

Youenn le fit boire, mais Petit-Louis était angoissé :

– Père Lohic ! Le Krakken ! Est-ce que le Krakken est arrêté ?

– M'est avis que oui, dit le vieux Lohic. La radio n'annonce pas de dégâts. Le roi des sept mers a sans doute été sensible à ton sacrifice, et il a accepté l'anneau...

Petit-Louis se laissa aller en arrière et ferma les yeux. Il songeait à la belle morgane. Qu'était-elle devenue ? Il rouvrit les yeux.

– Qu'est devenue la morgane ? Pourquoi n'a-t-elle pas répondu à mon appel ?

Personne ne le savait.

– Elle avait perdu l'anneau d'or, rappela le vieux Lohic. C'est toi qui as rompu vos « fiançailles » en le restituant à son père...

– Elle était si belle... soupira Petit-Louis....

– C'était à moitié un poisson, dit Youenn pour le réconforter.

– Écoutez ! dit Maël en baissant le son de la radio.

Un murmure flottait sur la mer tandis qu'on approchait des côtes et du port, et que les premières mouettes venaient tourbillonner au-dessus des têtes. Petit-Louis se souleva avec espoir :

– Les morgans !

Les pêcheurs le soutinrent jusqu'au bastingage. Les morgans nageaient à bâbord. Mais les hommes eurent beau les héler, ils n'approchèrent pas. Ils se contentaient d'escorter le bateau. Petit-Louis soupira tristement :

– Je ne reverrai plus la morgane... Père Lohic ?

Y a-t-il jamais eu des morganes qui pouvaient devenir humaines ?

– Je ne sais pas, répondit Lohic.

– Morgane à tribord ! cria Maël.

Ils coururent de l'autre côté du chalutier...

– Petit-Louis ! C'est elle ! criait Youenn. Elle est revenue !

La morgane nageait, seule, elle n'avait plus de queue mais de fort belles jambes. Les matelots criaient :

– La fille du roi ! Petit-Louis !

Le jeune homme était trop ému pour l'appeler. La morgane, privée de son escorte désormais, ne faisait plus partie du peuple de la mer. Le roi des sept mers en faisait cadeau aux humains...

– La chaloupe ! Vite ! Aidez-moi à mettre la chaloupe à la mer ! s'écria Petit-Louis.

La chaloupe fut mise à la mer ; Petit-Louis y prit place. Le port était maintenant proche, on voyait la côte avec ses récifs et ses phares. Les pêcheurs observèrent Petit-Louis ramer vers la belle baigneuse, l'aider à embarquer. Il la vêtit de son caban de marin, car elle ne portait que ses longs cheveux blonds. Les pêcheurs riaient, heureux, ils appelaient le couple, mais Petit-Louis leur fit signe de partir sans eux. Le chalutier mit le cap sur le port, tandis que Petit-Louis et la belle princesse allaient atterrir au fond d'une crique moins peuplée. La fille du roi s'était retournée : sur la mer, les morgans dressés tous ensemble au loin giflaient les flots vers elle pour un dernier salut.

A quelque temps de là, Petit-Louis et sa bien-aimée se marièrent. Elle était très belle mais fantasque, et le roi des sept mers en l'exilant chez les humains n'avait pas voulu lui retirer ses étranges pouvoirs. C'est ainsi qu'un jour, elle transforma la maisonnette sur la lande en un beau château, le jardin en parc, et les ronciers en camélias. Une autre fois, elle chassa la neige autour de chez eux, fit pousser des roses en hiver. Petit-Louis l'adorait. Simplement, parfois, elle contemplait la mer d'un air absent, et Petit-Louis savait que le lendemain, elle irait nager loin, très loin, jusqu'à l'horizon et pendant des heures. Personne n'est parfait.

Table

Folio Junior
Première collection de poche pour la jeunesse : plus de 500 titres disponibles

Alcott, Louisa May
Les quatre filles du docteur March

Andersen, Hans Christian
La reine des neiges
La vierge des glaciers
La petite sirène
et autres contes

Anonymes
Ali Baba et les quarante voleurs
Aventures du baron de Münchhausen
Histoire d'Aladdin ou la lampe merveilleuse
Histoire de Sindbad le marin
Histoire du petit bossu
Le roman de Renart / I
Le roman de Renart / II

Arrou-Vignod, Jean-Philippe
Le professeur a disparu
Enquête au collège
P.P. Cul-Vert détective privé

Aymé, Marcel
Les bottes de sept lieues
Les contes bleus du chat perché
Les contes rouges du chat perché

Barrault, Jean-Michel
Mer misère

Barrie, James Matthew
Peter Pan

Baum, F.
Le magicien d'Oz

Beecher-Stowe, Harriet
La case de l'oncle Tom

Bhoothalingam Mathuram
Histoire de Rama

Boileau-Narcejac
Sans Atout contre l'homme à la dague
Sans Atout et le cheval fantôme
Les pistolets de Sans Atout
La vengeance de la mouche
L'invisible agresseur

Borodine, Leonide
L'année du miracle et de la tristesse

Bosco, Henri
L'âne Culotte
L'enfant et la rivière
Le renard dans l'île

Bradbury, Ray
Un coup de tonnerre

Buisson, Virginie
L'Algérie ou la mort
des autres

Burnett, Frances H.
Le petit lord Fauntleroy
La petite princesse
Le jardin secret

Buzzati, Dino
La fameuse invasion de
la Sicile par les ours
Le chien qui a vu Dieu

Cameron, Ian
Le cimetière des cachalots

Campbell, Reginald
Sa Majesté le tigre

Camus, William
Les oiseaux de feu
et autres contes peaux-rouges

Camus, William /
Grenier, Christian
Cheyennes 6112
Une squaw dans les étoiles

Capote, Truman
L'invité d'un jour

Caroll, Lewis
Alice au pays des merveilles
De l'autre côté du miroir

Carré, Gérard
La troisième guerre
mondiale n'aura pas lieu

Causse, Rolande
Rouge Braise

Cendrars, Blaise
Petits contes nègres pour
les enfants des Blancs

Chaillou, Michel
La vindicte du sourd

Chrétien de Troyes
Lancelot le chevalier
à la charrette
Perceval
ou le roman du Graal
Yvain le chevalier au lion

Cole, Gerald
La petite amie de Grégory

Collodi, Carlo
Pinocchio

Colum, Padraïc
Le fils du roi d'Irlande

Conan Doyle, sir Arthur
Le chien des Baskerville
Le monde perdu

Cooper, James Fenimore
Le dernier des Mohicans

Coué, Jean
Kopoli, le renne guide
L'homme de la rivière Kwaï

Crompton, Richmal
William au musée de cire
William mène l'enquête
William marchand d'esclaves
William le hors-la-loi
William le conquérant
William et le chasseur
de fauves
La ménagerie de William
William va au cinéma
William le vengeur
William fait du théâtre
William agent secret
Le noël de William

Dahl, Roald
Charlie et la chocolaterie
Charlie et le grand ascenseur
de verre
Escadrille 80
James et la grosse pêche
L'enfant qui parlait aux
animaux *et autres nouvelles*
La potion magique de
Georges Bouillon
Le bon gros géant
Le cygne *suivi de*
La merveilleuse histoire
de Henry Sugar

Les deux gredins
Matilda
Moi, Boy
Sacrées sorcières

Daudet, Alphonse
La dernière classe
et autres contes du lundi
Le petit Chose
Lettres de mon moulin
Tartarin de Tarascon

Defoe, Daniel
Robinson Crusoé

Desai, Anita
Un village près de la mer

Dhôtel, André
L'enfant qui disait
n'importe quoi
L'île de la Croix d'Or
Le pays où l'on n'arrive
jamais

Dick, Philip K.
Nick et le Glimmung

Durrell, Lawrence
Les aigles blancs de Serbie

Falkner, J. Meade
Moonfleet

Fallet, René
Bulle ou la voix de l'océan

Faulkner, William
L'arbre aux souhaits

Fon Eisen, Anthony
Le prince d'Omeyya

Forsyth, Frederick
Le berger

Frémion, Yves
Tongre

Frère, Maud
Vacances secrètes

Gamarra, Pierre
Six colonnes à la une

Garfield, Leon
Le fantôme de l'apothicaire
La rose de décembre
Leon Garfield
raconte Shakespeare

Garfield, Leon /
Blishen, Edward
Le printemps des dieux

Garrel, Nadine
Au pays du grand condor
Les princes de l'exil

Gautier, Théophile
Le roman de la momie

Gilbreth, Ernestine et Frank
Treize à la douzaine

Giono, Aline
Mon père, contes des jours
ordinaires

Golding, William
Sa majesté des Mouches

Grimaud, Michel
Le tyran d'Axilane

Grimm
Hans-mon-hérisson
et treize autres contes
Les trois plumes
et douze autres contes

Gripari, Pierre
La sorcière de la rue
Mouffetard
et autres contes de la rue
Broca
Le gentil petit diable
et autres contes de la rue
Broca

Gutman, Claude
La maison vide

Halévy, Dominique
L'enfant et l'étoile

Hatano, Isoko et Ichiro
L'enfant d'Hiroshima

Hemingway, Ernest
Le vieil homme et la mer

Hickok, Lorena A.
L'histoire d'Helen Keller

Hines, Barry
Kes

Hope, Anthony
Le prisonnier de Zenda

Howker, Janni
Le blaireau sur la péniche

Jackson / Livingstone
Le sorcier de la montagne
de feu

Jacob, Max
Histoire du roi Kaboul Ier
et du marmiton Gauwain

Jayez, Renée
Guemla des collines

Jerome, Jerome K.
Trois hommes dans un
bateau

Kästner, Erich
La conférence des animaux
Les gens de Schilda

Keiser, Bruno
Le roi d'échecs

Kemal, Yachar
Le roi des éléphants et
Barbe-Rouge la fourmi
boiteuse

Kessel, Joseph
Le lion
Le petit âne blanc
Une balle perdue

King-Smith, Dick
Le cochon devenu berger
Harry est fou
Magnus super souris

Kipling, Rudyard
Capitaines courageux
Histoires comme ça
Le livre de la jungle
Le second livre de la jungle
Stalky et Cie

Kis, Danilo
Chagrins précoces

Korczak, Janusz
Le roi Mathias 1er / I
Le roi Mathias 1er / II
Le roi Mathias
sur une île déserte

La Fontaine, Jean de
Le loup et l'agneau
et autres fables

Lansing, Alfred
Les rescapés de l'Endurance

Laureillard, Rémi
Fred le nain et Maho
le géant
Une fée sans baguette
Les terribles Zerlus

Le Clézio, J.M.G.
Celui qui n'avait jamais
vu la mer *suivi de*
La montagne du dieu vivant
La grande vie *suivi de*
Peuple du ciel
Lullaby
Villa Aurore
suivi de Orlamonde

Léourier, Christian
Le chemin de Rungis
Jarvis, le messager
de la grande île

Leroux, Gaston
Le mystère de la chambre jaune
Le parfum de la dame en noir

Le Roy, Eugène
Jacquou le croquant

Letessier, Dorothée
Jean-Baptiste ou l'éducation vagabonde

Lluch, Victor Angel
Les peintures de sable

London, Jack
Croc-Blanc
L'amour de la vie
suivi de Négore le lâche
L'appel de la forêt
Le fils du loup
Le loup des mers

Mac Orlan, Pierre
L'ancre de miséricorde
Les clients du Bon Chien Jaune

Malot, Hector
En famille / I
En famille / II
Sans famille / I
Sans famille / II

Martin, Didier
Frédéric + Frédéric = Frédéric

Massepain, André
L'île aux fossiles vivants

Maupassant, Guy de
Deux amis *et autres contes*

Maurois, André
Patapoufs et Filifers

Mebs, Gudrun
L'enfant du dimanche
Je sais où est la clef

Ménard, Jean-François
Le voleur de chapeaux et autres contes pour la semaine

Mérimée, Prosper
Colomba
Carmen *suivi de*
La Vénus d'Ille

Merrick, Hélène
Les larmes de glace

Mirman, Louis
Grite parmi les loups
Le silex noir
Youg
A la recherche de Tiang

Modiano, Patrick / Sempé, Jean-Jacques
Catherine Certitude

Morgenstern, Susie
Premier amour, dernier amour

Mörike, Eduard
Un voyage de Mozart à Prague

Morpurgo, Michael
Cheval de guerre
Le jour des baleines

Noguès, Jean-Côme
Le vœu du paon

O'Hara, Mary
Mon amie Flicka
Le fils de Flicka
L'herbe verte du Wyoming
Le ranch de Flicka

Ollivier, Jean
Histoires du gaillard d'avant

Pearce, Philippa
Tom et le jardin de minuit

Pelgrom, Els
L'étrange voyage de Sophie

Pelot, Pierre
Sierra brûlante

Pergaud, Louis
La guerre des boutons

Perrault, Charles
Contes de ma mère l'Oye

Pestum, Jo
Le pirate sur le toit

Peyramaure, Michel
La vallée des mammouths

Poe, Edgar Allan
Double assassinat dans la rue Morgue *suivi de*
La lettre volée
Le chat noir *et autres nouvelles*
Le scarabée d'or

Prévert, Jacques
Lettres des îles Baladar

Randier, Jean
Un mousse au cap Horn

Renard, Jules
Poil de Carotte

Rostand, Edmond
Cyrano de Bergerac

Roy, Claude
Désiré Bienvenu
Enfantasques
La maison qui s'envole
Le chat qui parlait malgré lui

Ruge, Simon et Desi
La chatte au chapeau

Saint-Exupéry, Antoine de
Le petit prince

Sand, George
Histoire du véritable Gribouille

Saussure, Éric de
Les fumées de Manhattan
Les oiseaux d'Irlenuit
La grande bataille de Central Park

Scott, Walter
Ivanhoé / I
Ivanhoé / II

Ségur, comtesse de
François le bossu
Jean qui grogne et Jean qui rit
L'auberge de l'Ange Gardien
Le général Dourakine
Le mauvais génie
Les bons enfants
Les deux nigauds
Les malheurs de Sophie
Les petites filles modèles
Les vacances
Mémoires d'un âne
Nouveaux contes de fées
Un bon petit diable

Seidler, Tor
Le rat Montagu

Sempé, Jean-Jacques
Marcellin Caillou

Sempé / Goscinny
Joachim a des ennuis
Le petit Nicolas et les copains
Les récrés du petit Nicolas
Les vacances du petit Nicolas

Séverin, Jean
Le soleil d'Olympie

Sewell, Anna
Black Beauty

Shahar, David
Riki, un enfant à Jérusalem

Shelley, Mary
Frankenstein

Simon, Njami
Les clandestins
Les enfants de la cité

Smith, Dodie
Les cent un dalmatiens

Solet, Bertrand
Les révoltés de Saint-Domingue

Stahl, P.J.
Les aventures de Tom Pouce

Steig, William
Dominic
L'île d'Abel
Le vrai voleur

Steinbeck, John
Le poney rouge

Stevenson, Robert Louis
L'étrange cas du Dr Jekyll et de M. Hyde
L'île au trésor
Le diable dans la bouteille

Sue, Eugène
Kernok le pirate

Surget, Alain
Les flèches de silence

Swift, Jonathan
Premier voyage de Gulliver - Voyage à Lilliput
Deuxième voyage de Gulliver - Voyage à Brobdingnag

Thompson, Kay
Éloïse

Tolkien, J.R.R.
Le Seigneur des Anneaux Livres I à VI

Tourgueniev, Ivan
Premier amour

Tournier, Michel
L'aire du muguet
Les contes du médianoche
Les Rois Mages
Sept contes
Vendredi ou la vie sauvage

Twain, Mark
La célèbre grenouille sauteuse *et autres contes*
Huckleberry Finn
Les aventures de Tom Sawyer
Une aventure de Tom Sawyer détective

Vacher, André
Noulouk

Vaxelaire, Daniel
Chasseurs de Noirs

Verne, Jules
Autour de la Lune
Aventures de trois Russes et de trois Anglais dans l'Afrique australe
Cinq semaines en ballon
De la Terre à la Lune
La journée d'un journaliste américain en 2889 *suivi de* L'éternel Adam
Les Indes-Noires
Un hivernage dans les glaces
Le tour du monde en quatre-vingts jours
Les révoltés de la « Bounty » *suivi de* Un drame au Mexique
Maître Zacharius *suivi de* Un drame dans les airs
Michel Strogoff / I
Michel Strogoff / II
Une fantaisie du docteur Ox
Vingt mille lieues sous les mers / I
Vingt mille lieues sous les mers / II
Voyage au centre de la Terre

Véry, Pierre
Les disparus de Saint-Agil
L'assassinat du père Noël

Villiers de l'Isle-Adam
Treize contes maléfiques

Von Chamisso, Adalbert
La merveilleuse histoire
de Peter Schlemihl

Webster, Jean
Papa-Longues-Jambes

Wells, Herbert George
La guerre des mondes
La machine à explorer
le temps
L'île du docteur Moreau

Wilde, Oscar
L'anniversaire de l'Infante
suivi de L'enfant de l'étoile
Le prince heureux, le géant
égoïste *et autres contes*

Williams, Charles
Fantasia chez les ploucs

Wolgensinger, Jacques
L'épopée de la croisière
jaune

Wul, Stefan
Niourk

Zimnik, Reiner
Jonas le pêcheur
Les tambours

Achevé d'imprimer
le 1er septembre 1993
sur les presses de
l'Imprimerie Hérissey
à Évreux (Eure)

Loi N° 49-956 du 16 juillet 1949
sur les publications destinées à la jeunesse

N° d'imprimeur : 62335
Dépôt légal : septembre 1993
ISBN 2-07-056871-7

Imprimé en France

58564